정애의 문장들。

정애의 문장들。

우린 푸른 곰팡내가 아닌 볕의 냄새를 맡는 거야.

'사랑'이라는 말을 입 안에서 굴려 보았다. 모든 것들에는 맛이 존재할 거라 생각했고 이토록 추상적인 것에도 맛이 있다면 사랑은 씁쓸한 솜사탕 맛일 거라고 생각했다. 스물하고도 하나, 짧은 생을 살아오며 나 자신에 대해서 깨달은 게 있다면 사랑에 굉장한 낭만과 결핍 그리고 애증을 가지고 있다는 것이었다. 이 말을 입 밖으로 내뱉기까지 많은 침묵의 대화를 나눠야만 했다. 그것은 오로지 나만의 시간이었고, 나는 첫 번째 세계를 깨트리지 못한 채로 차마 입 밖으로 내지 못했던 사랑 이야기들을 모두 손으로 옮겼다. 그렇게 해서 만들어진 책이 '정애의 문장들'이다. 사랑해야만 했었던 것들, 사랑해선 안 되는 것들을 사랑했었던 것, 그저 사랑했던 것, 사랑할 수밖에 없었던 것에 대한 기억들의 표상들. 나는 막이 아주 얇고 투명한 비눗방울을 만지는 작업을 하기 시작했다. 그 안에 녹여내다 타버리고 그저 탄 채로 아니면, 버리고 다시 끓어 올리며 이야기를 지어갔다. 그 안에서 나는 자주 병들었고 잔잔한 재미에 샐쭉 웃기도 했으며 영문 모를 눈물을 맺기도 했다. 살짝 무언가에 집착하는 사람처럼 쓰고 버리고를 반복하다 보니 어느새 온갖 종류의 사랑들이 쌓인 걸 보았다. 그중 독자분들에게 삶 안에서 공유하고 싶었던 나의 일부를 몇 가지 발췌해서 엮어 보았다.

'사랑, 사랑...사랑.' 자칫하다 발음을 잘못하기라도 하면 '삶'이 될 것만 같다. 나는 사랑과 삶의 경계선이 비로소 모호해지는 순간을 맞이하고 오랫동안 그 금을 넘나들며 구분을 지어보려 애썼다. 하지만, 그럼에도 불구하고 내게 사랑은 삶이었다. 사랑을 삶으로 삼는 자신이 되자는 말을 손가락, 발가락으로 더듬은 지가 얼마되지 않아서 그런지 아직도 손 끝은 저온 화상으로 따갑기만 하다. 그럼에도 사랑에 노출되어 보려 한다. 마음껏 발가벗겨져 보기로 한다. 스물하고도 하나의 나이이기에 말할 수 있는 이야기라 할지 몰라도 나는 지겹도록 사랑하며 살아가고자 한다. 사랑이 지겹게 느껴진다는 것 자체가 사랑을 더 해 보라는, 더 느껴보라는 이야기가 아닐까 생각해 보며 울퉁불퉁한 날 것의 사랑을 나눠 드리고자 한다.

오늘은 내내 귀하를 생각했습니다。

그대여 순수와 속삭임의 계절이 돌아왔습니다.

평생, 어른 아이로 살아왔습니다.

얼렁뚱땅 문장집.

1장.

오늘은 내내 귀하를 생각했습니다.

오늘은 내내 귀하를 생각했습니다。

오늘은 내내 귀하를 생각했습니다. 지나간 시간들은 영영 그렇게 곰곰하게 지나갔는지. 나를 그렇게나 귀히 여기던 당신은 이제 무엇을 그리 아끼는지. 생각해 보면 우리의 시간들은 참 가슴을 사무치게 만듭니다. 항상 헤어짐은 아쉬웠고 만남은 쏜살같았던 그때, 귀하에겐 무엇이 순간의 촛불 같았나요. 더 나아가 떠올려 보면 나에게 정애는 심지였고 난 열심히 불꽃을 피웠던 것 같습니다. 이 느지막한 밤에 비몽사몽한 내 의식의 양 떼들은 한 마리, 두 마리, 세 마리 점점 늘어나 무리를 지어 양떼구름을 만들어 미련과 그리움이라는 먹구름을 몰고 옵니다. 이렇듯 당신은 나에게 심지, 촛불, 양떼구름이지요.

나를 사랑한 것에 후회는 없길 바랍니다.
나에게 귀하는 무한히 믿어지는 종교였으며
그저 나의 삶이었기에.

아 참, 한 가지 묻고 싶은 것이 있어요.
너무 늦은 질문이 되지 않길 바랍니다.

나를 사랑하기에 기뻤나요. 종이에 번지는 슬픔과 그리
움과 모든 사랑으로 섞인 눈물로 인해 자주 울음을 터
트리진 않았나요. 난 당신을 사랑함으로 천하를 품 안에
안은 듯했습니다. 내겐 당신이 내 세상이었으니까요. 사
랑해서 좋았고 사랑받아 기뻤습니다. 파아란 불꽃의 순
간을 만끽하게 만들어 주어 고마울 따름입니다. 이만 부
디 안녕을 고하지요. 연정은 품고 가겠습니다.

행복하시길.

눈사람.

눈으로 만들어진 사람이 산다.

사람의 체온이 닿기만 해도
물기가 떨어져 녹아버리는
그래서 아무도 악수를 하지 않는.

평생을 눈만 수북이 쌓인 곳에서 살던
눈사람은 매번 몸서리친다.
그건 추워서가 아니다.
외로움은 사람을 얼어붙게 만든다.

결국 여행을 떠나기로 결심한다.
무리 지어 날아가는 새들을 보고

얼음을 뚝 뚝 흘려내던 눈사람.
더는 이렇게 살고 싶지 않아.
너무 외롭고 차가워.

그리하여 동쪽으로 향한다.
가는 곳마다 눈사람의 젖은 발자국이 지도를 남긴다.
찾는 사람 하나 없어도 따뜻함에 안도한다.
흘러내리는 것이 눈물인지 눈인지 모르는 눈사람.

더는 춥지 않다.

이제 해가 뜨는 동쪽이다.
동쪽에 도착했으니 이제 짙은 물 자국만 자욱할 뿐이다.

청춘 할매。

장대비가 내릴 때 빗속을 뛰어다니며 마음껏 맞아 본 적이 있는가? 신문지를 있는 대로 마구 찢어 공중으로 뿌리고 그 위로 포옥 누워 뒹굴어 본 적이 있는가?

이 모든 걸 경험하게 해 준 분이 나의 외할머니이셨다.

진달래꽃을 보며 자유시를 읊으시고 죽어가는 꽃을 보고 결코 지나치지 않으시는, 생명을 소생시키기 위해 오늘도 작은 유리병들에 신선한 물들을 가득 채우시는 할머니. 할머니는 언젠가 화창한 봄날, 교복을 입은 앳된 나에게 왜 작가가 되고 싶냐 물으셨다. 나는 한참을 고민하다, 나는 영원히 못 남아도 글들은 나보다 더 오래 살 것 같아서 글을 쓰고 싶다고 했다. 어쩌면 욕심이라면 욕심일 수 있다. 글로나마 끊임없이 존재하고 싶은 거니까. 할머니는 그때, 아무 말씀이 없으셨다. 그저 언제나 그러셨던 것처럼 학원까지 나를 바래다주셨다. 할머니는 항상 그렇게 나의 등을 바라보다 집으로 떠나시곤 했다. 혹시나 해서 뒤를 돌아보면 항상 그 자리에서 손을 흔들어 주셨는데 나는 이상하게 그때마다 마음이 애달프게 뒤흔들렸다. 한창 사춘기 때는 혼자 가고 싶은 마음에 뿌리치기도 했는데 난 그때 학교에 가면서 한참을 울었다. 죄송스러워서, 그리고 시간의 유한함을 깨달았기 때문이었다. 할머니가 언제나 데려다주실 수 있을 거라 생각한 내가 멍청해 보였다. 아직도 그때 아파트 앞까지 나오셔서 잘 다녀오라며 손을 흔드셨던 할머니의 맨발 슬리퍼를 잊을 수가 없다. 결국 난 그날, 왜 우냐는 친구들의 질문에 대답하지 못하고 담임 선생님께 사실을 말하고야 말았다. 큰 잘못을 저지른 것 같다고 말이다. 선생님은 이야기를 진지하게 들어 주시다 끝나고 집으로 바로 가서 할머니를 많이 도와드리라고 말씀해 주셨다. 그래봤자 열세 살짜리 아이가 무슨 큰 도움이 되겠냐마는 그날은 할머니 손을 더더욱 꼭 잡고 잤던 기억이 생생하다.

가끔은 시간이 빨리 흘렀으면 좋겠다가도 미칠 듯이 멈췄으면 싶을 때가 있다. 할머니 얼굴을 보면 시간이라는 그 추상적인 것이 너무 싫다. 우리 할머니 앞에선 시계도, 거울도, 시간도 다 없어져 버렸으면 좋겠다. 시간이 지나감을 눈치챌 수 있는 것들은 다 사라지길 바랄 때가 있다. 인생의 무상함, 쏜살같은 시간을 말씀하실 때마다 나는 한 가지의 다짐을 한다. 꼭 할머니를 위한 책과 글을 쓰리라. 그런 다짐을 하며 할머니의 부탁을 되새긴다.

"할머니가 자유롭게 세계를 여행하는 책을 써 주라."

그 말을 들은 날 밤, 자기 전에 베개를 한가득 적셨다. 나에겐 언제나 청춘 같았던 우리 할머니. 난 꼭 청춘 할매, 이녹희 여사님 이야기를 책에 담고야 말 것이다. 자꾸만 넘어가는 시간은 도무지 잡을 수 없으니 이젠 그 위에서 순간순간들을 소중히 보낼 수밖에 없다.

그러니 할머니, 영원 앞의 불가능에 신경을 곤두세우는 우리 대신, 순간의 소중함에 사랑을 속삭이는 우리가 되어요.

저는 언제나 이 자리에서 영원처럼 글을 쓰겠습니다.

**추억은 목련 잎처럼 가끔은 웃음 끝에
눈물이 매달려 있을 때가 있다.**

어릴 적 할머니 냄새와 괜찮다고 전해드려도 넘칠 정도
로 담아 주셨던 주황빛 낡은 그릇의 식혜.

한창 사춘기에 방 안에만 있던 나와 동생 이름을 끝이 떨리는 목소리로 완정아, 윤상아- 부르시던 할아버지의 목소리. 이 중에선 다시는 못 듣는 목소리가 있다. 할아버지가 정말 먼 별로 떠나셨다는 소식을 들었을 땐, 난 이제 막 학원을 마친 중학교 2학년이었다. 집엔 아무도 없었고 그날 노을은 미친 듯이 아름다웠다. 할아버지의 추억과 흔적은 누군가 자신의 볼에 흐른 눈물을 마구 비빈 것처럼 노을로 번져 있었고, 난 그 하늘을 잔뜩 붉어진 눈으로 미끄러지듯 쳐다보다 장례식장으로 갈 준비를 했다. 외할머니와 동생과 함께.

그땐 그런 생각을 했다. 왜 이렇게 누군갈 떠나보내는 것이 힘들까. 왜 추억의 또 다른 말은 아쉬움인가. 이젠 눈물이 걷힌 채 살아갈 수 있지만 가끔은 그때 썼던 아쉬움이 묻은 노을빛 커튼이 마음을 닫게 만든다. 우린 언제나 '그때의 내가 좀 더 이랬더라면'을 가지고 살아간다. 하지만 이젠 그걸 또 다른 시작으로 삼고 찬란한 미래를 맞이해야 한다는 걸 안다. 그럼에도 앞서 기억되는 추억은 목련 잎처럼 미련을 남긴다. 하얗고 아득한 시간이 피어났다 그대로 낙화하여 이리저리 치여 적빛으로 사라지는 것처럼.

그러나 사실 우린 그저 한 줌 이파리로 사라지는 것이 아니다. 그대로 다시 스며드는 것이다. 또 다른 새 생명을 위하여. 자리를 물려 주는 것뿐이다. 나는 이걸 알기까지 웃음 끝에 눈물을 매달고 살아왔다. 이 짧은 생을 그렇게만 보낸 것이 안타까우면서도 어쩌면 친할아버지, 친할머니가 주신 선물임을 깨닫는다.

이제 내 마음속에서 목련은 계절도 모르고 자꾸만 피어나고, 구부정했던 할미꽃은 눈물 자국처럼 번진 노을을 향해 고개를 든다. 그 안에서 난, 마구 뛰고 뒹굴다 할미꽃 반지를 낀 채 할아버지의 얼굴을 가만가만 떠올린다. 다시는 볼 수 없기에 그러는 것이 아니다. 그저 사랑

하기에 우리 할아버지를 그려내는 것이다. 그럼 신기하
게도 웃음 끝에 눈물이 방울, 매달린다.

낡은 심장의 하루.

오늘도 낡은 심장으로 열렬한 사랑을 하고
느릿한 심박수로 깊이를 잰다.
얼마 남지 않은 생을 아는 듯 심장은
자주 머뭇거리곤 한다.

낯선 아이는 심장을 움켜쥐는 날 보곤
고개를 갸웃거린다.
낯선 노인은 날 보고 그저 끄덕이며
낯선 아이의 손을 잡곤 사탕 가게로 향한다.

이제는 다 낡아버린 이 심장

갈 곳 없고 맡길 데 없다.

누구에게 나는 심장을 맡겼던 걸까.

누구를 열렬히 사랑했을까.

낡은 심장이 더듬더듬 멈출 곳을 살핀다.

노인의 따스한 눈빛이 괜스레 선하다.

낡은 것을 가지고 있는 이들이 알아보는 것은

도대체 무엇인지

잘 모르겠다.

투둑, 투둑

낡은 심장의 지친 발걸음

누군간 그걸 듣고 편안히 잠을 청하기도

누군간 시계 초침 소리라 생각하기도 한다.

노인은 없으니

낡은 심장만 아는 새벽이다.

있잖아,
넌 어디쯤 가 있니?

누군가 물어보더라. 왜 그렇게 너를 못 잊냐고, 근데 그
게 이유가 있을까. 사람이 사람을 좋아하는 데에 큰 이
유가 있을까. 나는 아직 네 편지를 머리맡에 두고 자.
이게 집착인 줄 알면서. 너에게 해가 가지 않는다면 나
아직 혼자서 사랑해도 되지 않을까 싶어. 머리맡에 두
고 자지만 꺼내서 읽어 볼 생각은 꿈에도 못하는 내가
힘이 들 때면 네 편지를 읽곤 하는데 나 아직까지 매

번 운다. 정말 바보 같지. 볼 때마다 난 왜 그렇게 자주 울곤 하는지, 세상에 우리 둘만 있어도 좋을 것 같다는 네 말이 그렇게나 예쁘게 쓰여 있는데 말야. 마음을 곱게 접으며 눈물짓다가도 눈물방울이 글씨 위로 떨어져 번지게 할까 바로 다시 접어버려. 그만큼 널 사랑한다는 말보단 그냥 그저 널 사랑해. 이래도 되나 싶지만 혼자 하는 사랑이 뭐 그리 잘못이 되냐는 외침이 들려 와.

있잖아, 너는 어디쯤 가 있니. 우리라는 이름에서 얼마나 멀어졌니. 날 떠났다고 외치는 뱃고동 소리도 이젠 희미해져. 나는 선착장에서 돌아오지 않을 배를 기다리고 바다 위 허공에 불빛을 비추어. 나 여기 있다고 말이야. 바다 위는 어느덧 그때완 달리 잠잠해졌고 너에게 소식을 전해 줄 갈매기 한 마리 보이질 않아. 한때는 미래를 꿈꿔 왔던 우리가 각자가 돼버렸지만 그래도 나는 네가 돌아올 수 있는 바다 곁에서 편지를 쥔 채 기다려. 돌아올 수도 있지 않을까- 하고 고요히 서 있어.

아빠 이거 봐 줘
요즘은 힘들 때면 아빠를 찾게 된다。

엄마, 아빠 두 분 다 맞벌이이신데도 이상하게 어릴 적 가장 낯설게 느껴지던 아빠가, 제일 힘들 때 보고 싶다. 눈물로 부르는 게 아빠다. 난 어쩌면 그동안 아빠의 품이 그리웠던 건지도 모른다. 같이 지내면서도 나의 영혼의 짝이라고 말하는 아빠를 어색하게 바라보기만 했다. 둘만 있어야 할 땐 말할 주제를 미리 생각해야지만 마음이 놓일 때도 있었고, 아빠의 포옹이 익숙지 않아 안기는 건 상상도 못 했던 때가 있었다. 그런데 지금 생각해 보면 아빠는 나를 옆 모습으로 사랑해 주고 계셨던 것 같다. 학원 앞으로 마중 나와 있던 차 안 아빠의 옆 모습. 방문 틈 사이로 어렴풋이 보였던, 야근으로 늦게 들어온 아빠의 밥 먹는 모습. 술 마시고 들어오셔서 친구들에게 내 자랑을 했다며 웃으시다 지쳐 쓰러지듯 침대에 누우셨던 아빠의 잠든 옆 모습. 지금 생각해 보면 그 옆 모습으로 수많은 나날을 조심스레 사랑해 주셨던 것 같다. 그래서 그런지 아빠의 사랑은 참 조심스럽고도 애틋했다. 그래서일까. 나도 조심스러운 사랑을 보내게 된다.

아빠는 알고 있을까. 나 또한 왼쪽 얼굴로 사랑을 표현했다는 것을. 항상 조수석에 앉아 있거나 조잘조잘 얘기하면서 창밖을 바라보는 나지만 언제나 왼쪽 얼굴로 아빠를 생각하고 사랑했다는 것을. 사춘기 때는 투덕거렸어도 아빠를 사랑한다는 걸 나만큼 알고 계실까. 이제야 아빠를 이해한다는 걸 부디 알아주시길 바란다. 그러니 나의 어린 추억에 함께하지 못했다는 것에 더는 죄책감이나 미안함을 갖지 않으시길 바란다. 언제나 아빠는 나의 영혼의 짝이었으니까. 두서없는 편지 같은 글이지

만 옆 모습으로 사랑하는 우리 둘에게 난 꼭 한 번이라
도 글을 남기고 싶었다. 사랑합니다.

그리움의 종착지。

오랜만에 후배를 위한 불교 입문 책을 살펴봤다. 그중에선 돌아가신 외할아버지의 손때가 묻어 있는 책도 있었다. 할아버지의 멋들어진 손 글씨를 본 순간, 할아버지가 다니셨던 불교 대학 행사 종이를 본 순간, 눈물이 맺혔다. 속에서 아프고 그리운 감정이 소용돌이치면서 오장육부를 지나가는 것 같았다. 바쁜 일상으로 잠시나마 잊고 있었던 슬픔이 내 뻣뻣한 탈색 머리를 부드럽게 쓸어 넘겨주는 것 같았다. 당신은 잘 계실까. 보고 싶다. 그리움은 종착지가 없다. 출발지만 있는 것은 도무지 잊기가 어렵다. 스쳐 지나가더라도 언젠가 다시 돌아오는 게 그리움이다. 살아남은 자들은 그래도 오늘을 살아가야 하는 게 현실이지만 나는 드문드문한 이 그리움과 살아가려 한다. 결코 잊은 게 아니라 그저 일상이 되었을 뿐이다.

외계인이 본 지구 이별。

이별은 너무 길다. 그걸 기다리는 하루도 길다 못해 우주가 멈춘 것 같다. 우주의 시간은 빠를까 느릴까. 난 우주에선 점도 아닌 보이지도 않는 인간일 텐데. 마치 원소나 세포처럼 보이려나. 우주의 인간 비스무레한 누군가 현미경 같은 걸로 지구를 본다면 나에게 과외를 받던 아이와 내가 이별하는 모습을 보면서 '세포 분열'이라 생각할 수도 있겠다. 세포에서 액체가 흘러나오는 모습을 보면 무슨 생각이 들려나. 나는 헤어짐이 아쉬워 우는 건데 걔네는 이상한 액체가 나온다 생각하겠지. 멀어져 가는 나를 보며 아니, 세포를 보면서 흐느적거리는 굳이 안 써도 될, 인간으로 따지면 팔 같은 걸 움직여 다시 억지로 붙이려 하는 외계인. 근데도 인간 세포들은 S극과 S극이 만난 것처럼 더 멀리 떨어진다. 그럼 외계인들은 인간 세포 백과사전을 펴 이 이론을 찾아본다. 거기엔 이렇게 쓰여 있다.

인간 세포들은 '이별'이라는 현상이 일어났을 경우, 멀어져 갈 때 다시 붙이려 할수록 더 크게 반응하여 더 멀리 떨어진다. 인간 사회 이론의 경우를 참고하자면 '연인'이라는 관계에 있어서도 관계를 끊을 때 이번이 마지막이라고 생각하고 다시 만날수록 더 멀리 지는 원리와 같다.

외계인들은 인간 세포란 참 괴상하고도 이상한 정 많은 생물체구나- 하는 생각과 함께, 될 수 있는 대로 멀리 떠나는 인간들을 지켜보았다.

세포들에겐 그때만큼은 우주의 시간이 아주 더디었다.

인디언의 사랑.

나는 아직도 삶에 배고프고
늑대처럼 울부짖어가며 밤의 빛을 좇고자 한다.

그런데

이 잔잔한 마음의 파동은 무엇인지
미열이 나고 온통 숨이 쉬어지질 않는데
잦고 작은 이 지진들은
내 왼쪽 가슴에 자리 잡은 엘도라도에
무슨 여파를 몰고 온단 말인가.

나는 아직도 사랑에 굶주리고

가슴이 온통 부서지는 느낌에

이것은 본능적인 인간의 외로움이라 생각하네.

여즉 이걸 사랑이라 깨닫지 못하는 거야.

외로움 위에서 가뿐히 스텝을 밟아가며

춤을 추는 인디언

사랑 그거 하나 깨닫기에 영원도 모자라

오늘도 소용돌이 속에 혼자 갇혀

바람에 고개를 마구 저어대며

이건 사랑이 아니라며 의식을 잃는다.

아빠에게 답장이 왔다.

'아빠 이거 봐줘'라는 지난 글을 쓰고 난 뒤 이틀 정도 뒤에 답장이 왔다. 시계를 배경 사진으로 하고 그 위에 노란색 글씨가 쓰여 있는 편지였다. 카카오톡으로 부쳐 진 편지는 짧고도 오묘했는데, 내용은 대략 이러했다.

-

아빠의 옆 모습은, 온전한 사랑이 무엇인지를 생각하는 시계와 같은 것입니다. 사랑합니다.

아빠의 편지 내용 중.

-

보고선 처음엔 한참을 읽고 또 읽어 봤다. 편지에선 아빠의 옆 모습은 옆 모습만을 보여 주고 싶어서 보여 주는 게 아니라는 말이 적혀져 있었기 때문이다. 나는 옆 모습 사랑이 아빠의 사랑 방식인 줄 알았는데 아빠도 딸을 어떻게 하면 충만하게 사랑해 줄 수 있을까 고민하다 보니 옆 모습으로 사랑하고 계셨던 것이었다. 그러니 아빠는 하염없이 느릿하게 침이 돌아가는 시계에 자신의 모습을 비유하지 않으셨을까? 나는 오늘에서야 다시 한번 읽으면서 그걸 깨닫는다. 그리고 아빠가 생각하는 온전한 사랑이란 그래서 무엇이었을지 호기심을 가져 본다. 아빠에게 편지로 사랑한다는 말을 거진 처음 들어본 것 같은 난 한참 앞의 말들을 곱씹어 보면서도 눈길은 사랑한다는 말에 빼앗겨 있었다. 사랑한다는 말의 위대함이 얼마나 큰지 새삼스레 체험한 순간이었다. 어떠한 말도 다 필요 없는 듯했다. 그냥 오로지 사랑이라는 말이 그렇게 따뜻하고 향기로울 수가 없었다. 그렇게 서로 진심 어린 편지를 주고받으니 그다음 날인 오늘, 사적인 문제로 힘들어하는 나에게 아빠는 차 안에서.

"무슨 일 생기면 아빠한테 말해."

라고 말씀하셨다. 그 순간만큼은 아빠가 영웅이자, 이 지구에서 가장 센 사람으로 보였다. 이 글은 아빠에게 굳이 봐 달라고 부탁드리지 않을 거다. 솔직해도 너무 솔직한 글이니까. 혹, 언젠가 보게 되신다면 아빠는 그때 나에게 영웅처럼 보였다고 전해드리고 싶다. 아빠 덕분에 나는 다시금 사회로 뛰어 들어갈 수 있었으니까.

검은 우표.

도착지가 적혀 있지 않은 편지를 부쳐 볼까. 기름 때문에 밑창이 다 젖은 신발로 여러 번 밟아 거무튀튀하게 뭉쳐진 눈사람이 그려져 있는 우표도 붙이자.

편지지엔 미련 있는 사람의 미련 가득 사랑이 담겨 있다. 연필의 흑심으로 쓰다 지우길 반복해 편지 뒤편에도 연필 자국이 오돌토돌하게 솟아올라 있는 편지.

구깃구깃한 편지의 테두리엔 손자국이 그려져 있다. 미련스러운 사람의 손바닥에 맺힌 땀방울로 그려진 그림이다. 어쩐지 꿉꿉한 옛사랑의 향이 나는 것 같은 편지는 갈 곳 없이 나만이 간직해야 한다.

받을 사람의 칸엔 그 무엇도 적지 못하고 그저 다시 반송되기만을 기다려야 하는 편지. 보낼 사람은 나 받는 사람은 없고 도착지도 없는 편지.

미련이라는 우표를 붙이고 추억을 반송받자.

왜 여기까지 와.
누군가 그리운 거야?

빙산 위를 거닐었다. 누군가와 이별 한 사람치고 무덤덤
해 보이는 사람. 차디찬 빙산 위로 발바닥을 한 걸음, 두
걸음 맞댈 때마다 귓가엔 얼음이 단단한 잇새에서 파멸
되는 그 마찰음만이 들려오길 바랐다. 걸음을 옮기다 떼
어먹은 얼음의 맛은 참으로 밍밍했다. 바다 위에서 떠다
니는 것 치고 별종이었다. 민물의 맛, 그런 물비린내가
나는 것. 마지막 얼음 파편까지 삼켜내고 몸속 깊은 곳
까지 찬기가 어리는 것을 느꼈다.

누군가 그리운 거야?

아무리 질문을 던져 보아도 답변자는 동요되지 않았고, 그 바다 위에서 둥둥- 서 있다. 마치 바다를 유유히 자적하는 빙산의 일각이 되어버린 것처럼. 그것이 결국 자신의 바람이었던 것처럼.

누군가의 그리움의 일각이 되어버려선.

화성에서 온 이메일.

안녕, 잘 지냈어?

내가 열병을 앓고 있을 즈음 너는 어느새 차가워졌더라.
너도 나의 안부가 궁금했던 거였구나, 싶어서 마음이 내
내 새하얗게 설레곤 했어.

여기 하늘엔 네가 눈물을 훔치며 한참을 붙잡고 읽던
소설책 맨 마지막 페이지가 새드엔딩의 영화 크레딧처
럼 펼쳐져 있어.

살포시 보이는 달의 뒤편에선 어머니의 나긋한 자장가
가 한겨울 시린 눈처럼 맑게 들려 와. 그리고 여기 땅 밑
에선 애증 하는 이의 앳된 소리침이 날마다 나를 찾아
와 내 손목을 부여잡아.

다시 돌아갈 수 있다고, 열렬하고도 뜨거운 그 감정을
잊지 말아 달라고 말이야.

있잖아,

누군가는 나를 한 움큼의 사랑마저 다 버린 빈 껍데기
라고, 누군가는 내가 사랑을 가장 잘 아는 이라고 말해.
그렇게 날마다 태양의 저편에서 내가 받지 않았던 몇 곡
의 지난 벨소리들이 거침없이 들려와.
그중엔 다시는 듣지 못할 거라 생각했던 사랑했던 이의
벨소리마저 들리는걸, 온갖 박자와 음표 사이에서 주저
앉아 있어.

어떻게 해야 할지 모르겠어.
얼마나 더 그리워해야만 해?

있잖아, 잘 지내냐고 물어보고 싶어.
내 흑심으로 쓰다 지웠던 모든 편지가
별똥별을 타고 어둡기만 한 하늘을 가려버려.
난 지난날의 사랑이
나에게 아직도 재난처럼 여겨진다 말해.

화성에서의 메일이 닿은 건지 너는 내내 울고만 있더라.

밤하늘을 쳐다보지도 못하더라.

온 마음이 닳은 듯이 축 처져 쓰러져 있더라.

그 모습이 꼭

햄릿의 오필리아 같아 심장이 남아나질 않아.

이제 내가 뭘 해야 하는지 알겠어.

있잖아, 사랑해.

너의 울음에도 대답하지 못한 채 속만 달구고 있었던

난,

한낱 지구인을 사랑하는 화성이야.

*장이지 시인의 '명왕성에서 온 이메일' 답 시

2장.

그대여, 순수와 속삭임의 계절이 돌아왔습니다.

**그대여, 순수와 속삭임의 계절이 돌아왔습니다.
귀하를 위하여…**

어느덧 4월입니다. 난 봄만 되면 마음이 낭떠러지로 떨어지다 다시 날아오르는 것 같다는 당신의 한숨이 기억납니다. 날아오르는데 어째서 한숨을 잦게 쉬곤 했는지, 가끔은 당신이 이해가 가지 않으면서도 봄은 변덕의 계절이라는 말이 떠올라 그마저도 귀엽게 보입니다.

봄이라면 모름지기 장난스러운 변덕쟁이라는 말이 떠오르지 않나요. 가지 끝은 이파리를 소생시키지 못해 안달이고 그렇게 한 아름 잎들을 달고 나면 금방 변덕스럽게도 꽃봉오리를 틉니다. 꽃잎이 펼쳐지다 결국엔 바람에 휘날려 꽃비가 내려지는 게 이 계절이 주는 선물인가 싶다가도, 낙화의 아름다움이 얼마나 모순적인가 싶어 그걸 보고 좋아하는 우리네들의 모습이 씁쓸하기도 합니다. 우린 나무에서 생을 배울 수 있다 하지 않았나요. 그렇게 생각하면 낙화라는 건 내려가야 할 때를 아는 것의 아름다움을 뜻하는 걸까요. 그래서 우린 가장 어여쁠 때 지는 꽃잎을 맞으며 미소를 짓는 걸까요.
생을 잇기에도 바쁜 한낱 미생인 난 아직 잘 모르겠습
니다. 이생은 배워야 할 것이 많아 복잡하기만 합니다.
이 정신 없는 아름다움과 봄의 모순적인 속삭임에도 바
라는 건 분명합니다.

당신이 언제나 내가 그리워하고 열애하는 만큼 세상 앞
에 그늘지지 않길 바라요. 정말 그것만큼 바라는 것이
없습니다. 언젠가 낙화해야 하는 순간이 오더라도 그대
의 꽃잎을 누군가 함부로 밟질 않길, 짓이겨 밟혀버린
목련처럼 보이질 않길 바랍니다.

그대여, 순수와 속삭임의 계절이 문득 날 찾아왔습니다. 창가에 앉아 그저 서걱이는 연필에 날 맡기곤 당신에게 편지를 써 봅니다. 답신은 함께 꽃비를 보러 가는 걸로 대신합시다.

그럼 안녕히.

라임빛 사랑.

마주 보고 앉아 있을 때, 그때의 우리는 무슨 말부터 해야 할지 몰라 입만 뻐끔거리며 공기의 대화를 나누었고 마침내 침묵을 감싸 안아 각자의 빈 옆자리에 앉혔다.

시간은 영원 같았고 서로를 바라보는 자리의 간격은 꼭 은하수와 같아서 멀미가 나는 듯했다.

우리는 어떤 말을 속삭일까. 첫 마디는 분명 목소리가 잔뜩 잠겨 갈라질 것이다. 그럼에도 어떤 말들은 적어도 침묵보다는 나은 것이야 한다. 뻐끔대는 입술에선 탄식만이. 그 탄식 사이에서 음표처럼 두들겨지는 빠른 스타카토의 내 사랑은 오로지 당신만이.

옅은 웃음기가 서린 입꼬리엔 온화한 라임빛이 감돌며, 갓 태어난 아기 새의 울음소리처럼 초롱하게

'사랑한다' 말한다.

아담 없는 이브.

누군가는 태초의 세상에 처음 발을 내딛은 이를 이렇게 부른다. '아담'과 '이브'라고. 하나님은 세상을 만들고 아담과 이브, 에덴동산을 만든다. 그러면서 동산 중앙에 있는 선악과를 먹지 말라 한다. 하지만 뱀은 먹으라고 유혹하고 결국 그 둘은 베어 물고 만다.

이렇게 태초의 인간 아담과 이브 중 아담을 못 만난 이브처럼 누군지도 모르는 대상에게 나는 그리움과 외로움을 느끼기도 한다. 형태 없는 것에도 그리움 따위를 느끼는 내가 정말 사랑을 완전하게 이룰 수 있을까, 가끔은 고민이 되기도 한다. 하지만 사랑에 소모되는 감정을 떠올리기만 해도 머리끝까지 뜨뜻한 열이 오르는 걸 보면 아직 마른 사랑에도 열렬히 목말라 있는 게 분명하다. 이브가 되어 아담을 찾아다니는 나, 오늘도 에덴을 꿈꾼다. 나만의 에덴동산에선 선악과를 먹어서라도 이 뾰족한 세상 속 아담과 사랑의 영원을 꿈꾸리라.

라임에게 1
사랑하는 나의 라임,

몸살이 났나 봐. 한여름인데도 자꾸만 춥다. 얇은 여름 이불을 발 끝까지 덮은 채로 이 밤, 네 생각에 덮여 있어. 네 생각은 언제나 가벼운 구름 같다가도 중력의 무게가 살짝 느껴져. 내가 생각하기에는 사랑에는 중력의 무게가 깃들어져 있는 것 같아. 뭐든 소중한 거엔 그만큼의 책임이 따르잖아. 존귀한 사랑에도 역시나 무게가 달리는 거겠지. 너를 향한 마음 건너편에 추를 달아 보면 언제나 마음 쪽이 더 쉬이 가라앉을 거야. 그 마음 안엔 널 향한 정애와, 우리의 지난 열애와, 현재의 애틋함과, 때때로 널 너무 사랑해서 생긴 나만의 외로운 밤이

들어 있어. 너는 알까, 가끔은 내가 이렇게 어쩔 줄 모를 정도로 너를 사랑하는 밤이면 나는 이 지구에 혼자 놓인 사람처럼 또, 모든 중력이 제로에 가까워져 하트 모양의 구름 위로 몸이 붕 뜬 사람처럼 군다는 걸. 가끔은 널 사랑해서 생긴 외로움을 뭐라 불러야 할지 모르겠어. 널 사랑하면서 나는 자꾸만 세계가 풍부해지는데 왜 네가 잠이 들면 외로울까. 널 너무 사랑해서 어리광을 피우는 것 같아. 내 생각엔 그런 것 같아. 네가 남긴 메시지를 다시 보고, 허공에 발장구를 치고, 얇고 까슬한 여름 베개 커버에 고개를 파묻는 난, 너를 정말 사랑해. 이 글을 쓰면서도 눈물이 다 나온다. 왜 이러지? 나 진심인가 봐, 정말로. 아 참, 이 글을 읽는 아침에 혼자 먼저 자서 나를 홀로 둔 것에 대한 미안함은 갖지 말아 주었으면 해. 우린 서로를 사랑하고 삶을 공유하지만 태생은 각자로 태어났으니 아직 서로의 삶이 되어 주는 일은 천천히 해도 된다고 생각해. 난 그저 네가 무한히 보고 싶은 밤이면 이렇게 편지를 남길 거야. 오늘 밤도 푹 자야 해.

별 보러 가는 날。

말로도 표현하지 못할 때가 있다.

그럴 때면 그 마음 자체가 시가 된다.

마음이 곧 언어고 마음이 곧 시.

그게 어젯밤의 일이었다.

우린 볕의 냄새를 맡는 거야.

"야, 나 손금 볼 줄 안다?"

그럼 너는 웃음을 터트리면서도 손을 굳이 빼지 않아.
그럼 난 우리 집 구석 어딘가 박혀 있던 싸구려 잡지에
서나 볼 법한 정보들로 그럴 듯한 손금을 쳐. 가로로 짙
게 그어진 감정선을 훑다 그대로 내려가는 거야. 사실
무엇이 생명선인지 몰라. 그저 잡다한 손금일 수도 있
는데 그중 가장 짙고 긴 걸 골라서 너에게 이것이 네 생
명선이라고 웃어 보여. 그럼 넌 또 믿어준다. 아마 넌 내
가 손금 볼 줄 모른다는 걸 애초에 알고 있었는지도 몰
라. 그럼에도 난 대충 어림잡아 금의 중간부터 땀 때문

에 맺힌 물방울들을 아래로 옮기며 가장 끝 부분, 그러니까- 손목 바로 위까지 오는 금에 도달했을 때 입을 열어. "몇 살까지 살지는 잘 몰라도 그래도 난 여기서부터- 여기까지, 쭉 네 곁에 있어."

주어가 다 빠진 이상한 언어에도 우린 주어가 누구고 대상이 누군지 다 아는 듯 그냥 웃어넘긴다? 그리고 거울을 봤을 때 내 입꼬리는 붉어져 있어. 피가 맺힌 게 아니야. 곰팡이가 서릴 겨를도 없이 뜨듯하게 열이 오른 거야. 그래서 나는 자꾸만 생명선을 매만지는 상상을 해. 여기서, 이 어느 지점부터인가 내가 너의 삶에 또 다른 나의 금을 함께 덧그렸겠지. 앞으로도 덧그리겠지 하면서.

우린 푸른 곰팡내가 아닌 볕의 냄새를 맡는 거야.

왜 서로 좋아하는데 숨을 나눌 수 없을까。

우리는 왜 영혼들의 열애를 하고 있음에도 숨을 나누지 못할까. 어째서 서로 좋아하고 있는데 말을 못 해 가슴을 쥐어 짜낼까. 사랑이란 나누는 것이 아니었던가. 왜 우리는 시선으로 사랑할까. 가슴으로 운다는 말이 이럴 때 쓰이는 건지 답답하고 이 열애가 너무 어려워. 절애하여 머리 끝까지 사무쳐. 이런 게 정말 네가 말했던 우리만의 사랑인가 봐. 마음이 울컥거려 두 입술을 떼어내지 못하겠어. 너의 이름을 사랑해. 살아 있음을 사랑해. 손끝을 사랑해. 손끝으로 하는 사랑에도 가슴이 절절매어 이 감정이 정확히 무엇인지 모르겠어. 안다면 알려주라. 네 이름에도 마음이 이렇게 애틋해지는 날 보고, 넌 이게 무슨 병일 거라 생각해? 병이 아니라면 이거 정말 사랑인 거지. 그렇지. 보고 싶어. 우리는 왜 서로 좋아하고 있는데 말을 못 해? 너의 그 마음의 결로 날 쓰다듬어 줘. 날 안아 줘. 이렇게 네 사랑을 갈구하는 나에게 시선을 맞추고 괜찮다 말해 줘.

보고 싶어 나의 愛人.

순간, 하와이안 드림。

첫 만남이 어땠냐 묻는다면

대답은 세세하게 말해 주고 싶지 않아요.

내 이야기를 듣고 과장을 보태지 말라며 뭐라 할 수도 있으니까. 난 정말 한동안 어딘가로 발 디딜 생각도 못했고 우연히 가 본 그 숲이 내게 사실 부름을 던진 것이라고, 창조주가 있다면 이건 신이 만들어 주신 기회이고 운명일 거라고까지 생각했어요. 미친 거죠. 고작 말 몇 번 섞어 본 걸 운명이라 생각한 건. 근데 운명이 맞는 거라면, 그래서 다시 만날 수 있다면 난 얼마든지 오늘부터 아니, 이제부터라도 어디든 가서 난 독실한 신앙이 있는 신자라고 말하고 다닐 수 있었어요. 그만큼 미친 듯이 기다려지고 언제든 만날 수 있을 것 같아서 매일을 준비하고 다녔죠. 안녕하세요. 반가워요. 존함이….

아니, 이름이 어떻게 돼요? 같이 걸을까요? 구식인 멘트라 해도 어쩔 수 없네요. 나는 그게 내 사랑 방식인지라. ...근데요, 정말이지 다시 만나니 그 모든 것들은 생각이 나지 않더라고요. 정말 그 어떤 말도요. 난 순간 내 머리카락이 날 때부터 분홍색인 줄 알았어요. 마음의 색대로 우리가 낳아졌다면 난 분명 머리끝부터 발끝까지 분홍빛일 거라고 순간, 생각했죠. 멍청한 생각 같아 보이겠지만 마치 울고 싶은 심정이었어요. 너무 좋아서요. 정말이 아니라 너무요. 너무 좋아서 내가 타고 숲으로 날아온 그 먼지 뭉텅이든, 구름이든 다시 끌고 와 그 애를 태워 주고 싶었죠. 아름다운 것이라면 다 보여 주고

싫었어요. 그러다 소나기가 와서 어디 모르는 곳에 비상 착륙이라도 하면 물이 뚝뚝 떨어지는 손가락을 주먹으로 말아 쥐었다가, 폈다가 서로 맞잡는 거죠. 내내 비가 미친 듯이 쏟아지고 세상이 쪼개질 듯이 천둥이 내리치는 날씨가 그 아이의 계절이라 해도 나는 그것만으로 내 삶의 이유를 찾았을 거예요. 축축함이 침묵을 채운다 해도 무슨 말을 해야 할지 모르는 입술들은 늘 긴장해서 건조할 테니까 우리에겐 장마가 필요하죠. 태생을 물에서 태어난 아이들인 만큼 사랑도 물속에서 하는 거예요. 흐르듯이. 둘이서 빗속을 피하면서요.

유려한 곡선。

우리 아파트엔 유려한 곡선이 산다.
세상사 이 지랄 저 지랄이 나도 이리저리 구부러질 뿐
절대 끊기지 않는,

이런 말을 하면 누군가는 또 억센 거 아니냐고 하겠지만
그건 금강아지풀에게나 하는 말이고,

내가 말하는 이 유려한 곡선은
인간들의 속임수나 잔챙이들에게도
미끄러이 빠져나와 제 지도 찾아 가버린다.

어쩌다 한번 숨어 있던 잔챙이 곡선 획 꺾어버리면
뒤 돌아보곤 그저 상냥히 웃을 뿐이다.
그러나 몸으론 창창하게 휘감아버리면서
이런 게 유려와 냉철이라는 것이다.

그리고 그 곡선을 난 우리 엄마라 말한다.

라임에게 2
나의 바다. 라임。

라임, 오늘은 어제보단 덜 더웠어. 그럼에도 모래 바닥을 사정없이 쓸어 나가는 파도가 그리워지는 건 여름 탓일까. 아니면 언젠가 너와 함께 갈 바다가 기대되는 탓일까. 덥다고 어리광 피우는 널 보고 싶은데 너는 너무 그런 표현에 어색해해 라임. 알지? 수많은 시간을 그렇게 살아온 너에게 내가 그랬잖아. 어리광 좀 피워도 아무도 뭐라 안 한다고. 너의 어리광은 나에게 사랑으로 다가와. 투정은 톡 쏘는 소다 맛이 나고 살짝 물결치는 미간은 나로 인해 펴지도록 만들 거야. 그게 순간의 윤슬 같아도 순간이 모여서 영원이 될 수 있도록 내가 그렇게 만들 거야. 라임, 누군가는 내 편지를 보고 낭만적이라고 말해. 근데 나는 그런 말에 그저 웃어버리곤 너에게도 그저 한낱 낭만으로 보일까 싶어서 웃음 끝이 써. 그래도 나에겐 손을 잡고 바닷가를 걸어가는 우리의 모습이 액자로 가슴에 박혀 있어. 언제나 간질거리는 네 목소리는 내 폐부 속에서 시원하게 헤엄치고 있어. 널 떠올리면 해왕성에서 물장구치는 푸른 네가 보여.

사랑스러운 나의 라임, 괜찮아. 우리의 일은 뭐든지 괜찮을 거야. 내가 무슨 말을 하는 건진 너만 알 거야. 그치? 나는 이제 기다린다는 말보다 표현하고 나아간다는 말을 쓸 거고 너도 날 기다리게 만든다는 생각은 하지 않았으면 좋겠어. 나는 널 기다리는 게 아니라 같이 다음을 향해 나아가는 중이니까. 오늘 할 말 아침부터 미리 생각해 뒀는데 말이 기억이 나질 않아. 얼른 너와 함께 하는 내일을 기약하며 잠들고 싶어. 못다 한 말은 내일 또 편지할게. 오늘도 푹 자.

우분투보토 : 내 삶은 너를 통해。

내 삶은 너를 통해서만 가치 있다.

우리가 우리로 살지 못한다면 하나의 개인인 나는 피앙
세를 타고 날아가지 못하고, 우리가 삶으로 마주하지 못
한다면 사랑을 종교로 삼던 내 삶, 그 삶 앞에 감히 무
릎 꿇을 수도 없겠지.

내가 양초라면 네가 날 쥐는 그 온기에도 촛농이 똑똑 떨어졌을 거야. 그 촛농의 온도는 어떨까, 사랑이 끓는 온도는 몇 도부터일까. 내 사랑이 끓는 온도라면 잠깐 네가 나를 쥐는 그 순간에도 나는 녹아내리니까, 누군가 내 온도 점을 체크하면 미지근한데 왜 펄펄 끓어오르냐고 놀릴 거야.

나의 심연의 꿈아, 내가 알 수 없는 심해의 생명들과 대화하는 그 순간에도 날 위해 헤엄쳐 와 줘서 고마워. 내 입술에서 나오는 공기 방울의 산소 안엔 사랑한다는 말이 담겨 있어 방울이 펑 터지면 그 해류의 진동으로도 난 사랑한다고 전해.

그러니 부디 온몸으로 사랑하는 날 지켜봐 줘.

대지의 편지。

수줍은 한 떨기 이파리들

연붉은 아이들은 서로 포개져 서로를 끌어안고

누구든 한 송이를 쥐고 흔들어도

함부로 스러지지 않아

꺾으려고 할수록 서로를 부둥켜안을 뿐이야.

누가 너를 꺾으려 하겠어.

가늘면서도 강한 뿌리를 내린 너를 그 누가 채가려 할까.

있다고 해도 너는 영영 생기를 풍길 테니

금방 일어나 꽃을 피워 주련.

이생, 너의 탄생을

송송히 빛을 뿜는 이 밤이

이리 온몸으로 축복하니.

앞으로도 그렇게 내내 눈부시어라.

한 송이, 작약의 고개도 떨구지 말아라.

세상 앞에서 고개는 함부로 숙이는 것이 아니다.

소문난 정오의 태양.

정오의 태양 조각을 따다 밥 한 공기에 얹어 먹자.
어딘가 버터처럼 느끼한 목 넘김,
시간이 지나도 뜨거운 노른자.

누군가 말하기를 정오의 태양은
자정의 달보다 끝맛이 달다 했지.
자정의 달은 뾰족할수록 쓰기만 하다고,
그건 달 뒤편의 외로움 때문이라고 하더라.

태양은 달 속도 모르고 불타오르고 있으니

나 참, 신이 난 열 오른 푼수나 다름없어 그치?

그래도 정오의 태양은 빛을 피하고 싶어 하는 세상 낭

떠러지에 있는 누군가의 어둠까지 쫓아가 문틈 사이로

라도, 커튼 틈 사이로라도 우겨 들어가서 좀 살아 보자

고 뒤흔드는 애야,

그래서 정오의 태양 조각이 지구 어느 곳에서

미식이라고 소문난 거야.

그 따스함에 녹지 않을 지구인은 없거든.

라임에게 3
나의 빛, 라임。

우리가 연인이라는 이름으로 사랑을 하며 살아가는 것
도 인간이 사는 삶 안에서 고작 이제 시작인데, 나는 왜
이렇게 가슴 중앙에 풍선을 단 채 살아가는 것 같을까.

네 입술에서 내 이름의 첫 자음과 모음이라도 나오는 순간이라면 곧장 터질 것처럼, 나는 그렇게 사랑에 민들레 홀씨처럼 마구 휘날리며, 때론 바스라지며 그렇게 살아가고 있어. 보고 싶다는 말이 때로는 참 미운 말 같아. 인간의 탄생은 인간이 이루어낼 수 있는 태초의 마법이라면 언어라는 건 있지, 사람이 부릴 수 있는 마지막 마법 같다는 생각을 해. 그럼에도 나는 보고 싶다는 말이 참 미운 말 같아.

'보고싶다.' 이 네 글자 안에 내 모든 감정과 마치 폭풍처럼 갑자기 몰아치는 해류 속의 사랑을 어떻게 다 담아낼 수 있을까. 내가 재주가 없는 걸까. 나는 보고 싶다, 사랑한다는 말로도 표현할 수 없는 게 존재한다고 생각해. 내 사랑은 긴 긴 겨울밤 너를 생각하면서 내내 잘 생각도 못 하고 가장 좋아하는 스페인 음악을 들으며 한 땀, 한 땀 지어내는 스웨터야. 처음은 엉망진창 꼬인 매듭에 다시 풀었다가도 결국 잘못된 패턴이 한 줄 그어지지만, 곧 익숙해져 여러 색감을 대면서 입어 줄 사람을 생각하며 정성스레 사랑을 지어 입는 거야. 내 사랑이 너에게 꼭 맞길 바라기만 하지. 그렇지 못해도- 조금 헐렁거리거나 너무 딱 맞아도 괜찮아.

또 다른 사랑을 지어 줄게. 언제나 사랑스러운 나의 라임, 난 항상 너의 머리 위에서 빛의 조각이 샹들리에로 반짝반짝 흔들리며 서로 입 맞추는 우리의 모습을 비춰 주길 바랄 뿐이야. 언제나 사랑해.

아가페적 사랑。

사랑에 대한 글을 써 보자. 사실 정확히는 사랑의 '결핍'에 대한 글이다. 사랑은 우리를 더욱 단단하게 만들어 줄까? 그건 아닌 것 같은데. 우린 사랑을 받고 싶어 하는 욕구로 가득 차 있다. 이것도 정확히는 나에 해당하는 이야기이다. 남들은 사랑받는 자신을 원하고 사랑받을 때 비로소 '아, 내가 지금 사랑이란 걸 하고 있구나.'라는 생각을 하게 되지만 사실 내 생각엔 이루어지지 않는 사랑을 내가 하고 있을 때, 내가 사랑을 보내고 있을 때 그 의미에 대해서 알게 되는 것 같다. 원하지 않는 걸할 때 비로소 성장을 체험하게 되는 것이 아닐까. 말이 횡설수설하지만 내 생각엔 그렇다. 사랑받는 나와 사랑을 주는 나 중에 어느 것이 나의 삶을 더 성숙하게 만드느냐 묻는다면 난 후자를 꼽을 것이다. 아무것도 바라지 않고 하는 아가페적 사랑이 얼마나 헌신적이고 가치 있는지 많은 이들이 체험하게 되길 바란다.

세상을 목에 두르자.

같은 목도리를 두르고

우리만의 세계로 망명하는 우리 둘.

세상 앞에 난민 되어 적응치 못하고 삶을 영위하네.

라디오에선 청춘 둘이 실종됐다 방송하고 우린 그저 안테나를 하트 모양으로 꺾어버린 채 파도처럼 흔들리는 주파수를 왈츠 삼아 춤을 추다가 목도리에 고개를 푹- 박고 걸음을 재촉할 뿐이야.

어디로 가는 걸까 우리. 사랑만을 주식으로 먹고산다는 금성인들이 산다는 곳으로 갈까. 그곳엔 우리 둘만이 모든 곳을, 온 세상을 차지할 수 있겠지. 그렇게 부둥켜안고 살다 또 하나의 유성우가 되어 날아가겠지.

그래,

우리 그냥 이렇게 멀리 도망가서 세상을 목에 두르자.

영영 돌아오지 말자.

사랑해.

라임에게 4
영원 같은 사랑, 나의 라임.

너와 대화를 나누며 느낀 건데 말이야.

난 네 앞에서 사랑을 마다할 이유가 전혀 없는 것 같아.

사랑을 위해 태어난 사람처럼 자꾸만 마음이 날갯짓을 해. 내 마음을 낱낱이 분해해 보면 순수와 열렬한 사랑이 조각조각 떼어져 나와. 그 중 모나지 않은 하나의 보석은 반지로 만들어 너에게 선물해야지. 이 광대하고도 휘몰아치는 세상 속, 언제나 다시 돌아갈 곳이 있다는 건 축복일지도 모른다는 생각이 들어. 가끔은 그런 생각을 하곤 해. 내가 널 사랑하는 걸 너도 알까? 얼마나 사랑스러운 눈으로, 어떤 시선으로 널 사랑하는지 너는 알까? 손끝으로 툭툭 찌르는 장난에도 나는 닿는 살결마다 열이 오르는데 만약 시선으로만 사랑할 수 있다면 나는 네가 녹아내릴까 봐 눈을 질끈 감고 널 바라볼 거야. 그리고 생각해 봤는데 나에게 라임빛을 선물해 주어 고마워. 너는 이게 내 색이라고 고마워할 필요 없다고 했지만 나도 모르는 내 색을 발견해 준 네가 너무 예뻐서 이런 마음을 주체할 수가 없어. 나의 마린, 나의 라임. 언제나 내 라임빛 사랑을 받으며 나의 사랑으로 지내 줘. 항상 곁에 있을게.

그때의 순정。

잘 익은 로맨스 한 편을 남기고 싶다.

그런 마음은 굴뚝 같다.

특히나 소재가 첫사랑이라면 말이다.

하지만 첫사랑은 이루어지지 않는다는 말이 있지 않나. 우습게도 나 역시 첫사랑 공식에 걸맞게 아득히 옛 기억으로 묻어야만 한다. 스무 살 때 만났던 그와의 기억을 펼쳐 보며 그에게는 닿지 못할 걸 알면서도 이 마음을 주체하지 못하고 부재의 편지 한 통 적어 볼까 한다.

*

내 사랑은 너에게 있지 않나. 나는 너를 사랑하면서도 사랑하는 이 마음을 내 것이라 생각해 본 적 없다. 네가 있기에 내가 이 무르익은 사랑을 지닐 수 있었기 때문에.

너를 향한 애정을 그땐 철을 만나 잘 익어 과즙이 뚝뚝 떨어지는 사랑이라 생각했다. 나는 그런 내 애정을 네가 느끼고 있을 거라 믿었다. 있는 그대로. 물론 그건 결국 착각이었고 말로는 쑥스럽다며 표현하지 못했던 내 사랑은 너에게 잘 닿지 못했다. 돌이켜 보면 사랑에 참 서툴렀다.

과일은 너무 익으면 말랑해지다 못해 나중에 가선 멍이 들지 않나. 수분기가 많은 과일처럼 내 사랑도 네 앞에선 자주 축축한 멍이 들었다. 이제껏 내가 느껴보지 못한 큰 사랑인 것 같으니 이건 분명 무르익은 만남이라 생각했건만, 나는 너의 말 한마디에도 멍이 들다 못해 뭉개지곤 했다. 평생을 다른 공간에서 다른 사람들과 살아온 우리가 오직 사랑한다는 감정 그 교집합 하나만을 가지고 첫사랑 공식을 깨트리기엔 둘 다 마음이 어렸다. 성숙한 만남이 아닌 풋사랑이었음을 이제야 깨달으며 아직까지 너를 사랑하고 있음을 안다. 네 생각만 하면 마음이 말랑해지는 것을 느끼기에 첫사랑은 평생 가슴에 묻고 산다는 다른 이들의 말이 꽤나 큰 생활의 지혜처럼 다가온다.

이제는 우리 둘 사이에서 통하던 주파수도 길을 잃고 고요한 마당에 나 혼자 이런 얘기를 주절주절 꺼내 놓는 것이 조금 웃음이 나오기도 하지만 아무렴, 첫사랑 이야기는 이 청춘이 다 지나가서도 할 수 있는 얘기니, 귀가 좀 간지럽더라도 참아 주길 바란다.

*

아, 난 아직도 너에게 받은 몇 통 되지 않는 편지들을 가끔 꺼내 보곤 한다. 그중 가장 와닿았던 건 내 생일 때 받은 편지.

'Happy Birthday.' 이 말이 뭐 그리 대단한 말이라고 난 너에게 처음 받아 보는 생일 편지가 그렇게 신기하고 좋아서, 네가 장난스럽게 웃으며 펜을 쥐고 삐뚤빼뚤하게 썼을 그 알파벳들을 검지로 훑어가며 천천히 곱씹기도 했다. 지금도 네가 쓴 알파벳 B를 보면 그 두 번의 곡선들이 내 입술을 다물게 만들곤 한다. 도톰한 두 곡선이 딱 붙어 있어 꼭 네 앞에만 서면 떨리는 마음에 아무 말도 못 했던 내 입술이 떠오른다. 너는 이 한 글자에 어떤 감정과 생각을 담았을까? 나는 모르는 그때의 너의 밤. 편지를 보고 세상 모르게 웃었던 너는 모르는 나의 밤. 각자의 숨을 내쉬었던 밤을 떠올려 본다.

너와의 좋은 추억과 꽤나 아릿한 결말까지 주욱 회상해 보는 와중에도 이렇게 사랑이 충만한 마음이 드는 걸 보면 내가 한창 청춘처럼 느껴져 기분이 묘하게 들뜬다. 이 마음을 기분 좋게 묻고 또 언젠가 다른 누군가와 물익은 사랑에 빠졌을 때 더 큰 정성을 쏟아야겠다. 우리가 유난히 사랑에 빠져 허우적댔던 한여름은 서로의 자리를 비운 채로 이렇게 다시 돌아왔다. 이제는 너의 자리에 가족과 친구가 자리하기도 하며 또는 그저 빈 곳으로 둔 채 여름 밤바다를 본다.

*

여름 하늘에서 여행으로 들뜬 사람들이 쏘아 올린 폭죽이 눈물 자국처럼 번질 때,

장마는 그쳐가는데, 내 마음은 여전히 좀처럼 그치질 않아서 한밤의 네온사인처럼 번쩍거리는 사랑들을 바라보며 너를 떠올리고 있을 때, 당신이 나를 구원해 줬다는 남들의 고백들을 엿들으면서 난 잠시나마 밤을 밝히는 불꽃들을 올려다본다. 시작할 땐 시끄러이 소리를 내며 환해지는 불꽃은 마지막엔 그저 거먼 재가 되어 공중으로 흩어진다. 만남의 시작과 끝도 불꽃놀이와 같다.

나는 그 와중에 변두리에 우두커니 서서 팡팡 터지는 사랑놀음을 보고 있다가 불꽃이 다 가시고 뿌옇게 밤하늘을 가리는 연기를 안줏거리로 삼으며 첫사랑, 너와의 기억을 이만 걷어버린다. 언젠가 이렇게 또 추억해야지- 하고. 말이 참 길어졌다. 언제나 사랑 이야기는 담백하게 줄여 말해야지 하면서도 종국엔 줄줄이 늘여 놓게 된다. 왜일까? 사랑은 항상 별의 꼬리를 잡고 나서 손바닥에 가득 묻어지는 별 가루처럼 영롱한 감동과 어쩐지 모를 애틋함을 남긴다. 아, 말이 참 길어진다. 더 길어지기 전에 이만 글을 마치며, 다시 그때로 돌아가 짝사랑을 성공시키지 못한다고 해도 난 또다시 기꺼이 너의 계절을 따르기로 마음먹어 본다.

첫사랑이고, 첫사랑이었으니까.

3장。

평생, 어른 아이로 살아왔습니다。

특별함의 평범성.

2021년 4월 21일, 블로그 이웃들을 향해 한 가지 부탁을 청했다. 아무 말 한마디만 댓글로 써 달라는 것. 그럼 내가 그에 살을 덧붙여 글을 완성하겠다고 약속드렸다. 내 영감이 바닥을 보여 청한 부탁이기도 하지만 양방향으로 같이 쓰는 글의 의미는 얼마나 특별할까 싶었다. 그렇게 첫 번째 댓글이 달렸는데 그게 바로,

*우리는 모두 특별한 존재임은 분명한데, 모두가 특별하다면 결국 아무도 특별하지 않다는 의미가 될까?

*나의 블로그 이웃 '챠밍블'님께서 남겨 주신 문장임을 밝힌다.

우리는 모두 특별한 존재임은 분명한데, 모두가 특별하다면 결국 아무도 특별하지 않다는 의미가 될까. 이 말 한마디였다. 자존감이 낮은 이들을 보면 난 말하곤 한다. 특별하지 않은 사람은 없어. 다만 모두가 다 특별하기에 특별함이 평범한 것처럼 보이는 것뿐이야. 그럼 이해하는 사람도 있는가 하면 여전히 이해하지 못한 채로 고개를 갸웃거리는 이들도 있다. 나는 이걸 '특별함의 평범성'이라 말한다. 특별한 것 투성이인 별난 세상이라 그것이 결국 평범해져 버린 우리의 나날들.

그러니 이 세상에 정말 특별한 존재는 무엇일까 고민하지 말았으면 한다. 모든 존재는 태어날 적부터 모든 세계의 신비를 응축해서 탄생했기에 감히 저울질할 수 없는 것이다.

잔인한 4월。

4월은 잔인한 계절. 늘 그랬듯 일상적으로 정신의학과를 향했다. 굳이 안 밝힐 이유도 없다. 아픔은 누구나 하나쯤 있는 것이고 난 유연히 받아들이는 힘이 아직 약할 뿐이다. 오늘 의사 선생님께서 4월은 잔인한 계절이라 하셨다. 내 인적 사항을 들여다보시곤 하신 말씀. 내 생일은 4월 19일인데 요즘 난 이상하게도 따뜻할 때, 모든 것이 기대되고, 모든 것이 아름답다고. 생명이 소생하기 시작할 때 내가 등을 돌리는 상상을 해 본다. 문학 속에서도 외롭고 괴로운 인간들에게는 봄이라는 것이 겨울보다 춥다는 것을 난 지금, 온몸으로 온 마음으로 느끼고 있기에 자꾸만 이 3월의 끝자락이 영원하길 바란다. 만물이 살아 움직이며 꿈틀거리는 와중, 사람들은 부대끼며 애환을 느끼고. 그렇게 생을 영위하고 원치 않은 이별을 하더라도 새초롬한 싹과 금방 반짝 깨어나 날아다니는 사람들을 볼 때면 눈물이 날 듯 사랑스러움과 인간애를 느낀다. 그러다가도 그저 별이 되어 바라보고 싶을 때도 있다. 빌어먹을 내적 소외감. 아무도 날 소외시키지 않는데 내가 날 소외시키는 것이다. 하고 싶은 걸 하고 일을 하나씩 그만두라는 선생님의 말씀에 나는 잔인한 4월이 시작되고 나에게 소원권이 주어진다면 무엇을 할 것인지 생각해 보았다. 딱 10분만 날아다니는 것이다.

딱 10분. 한없이 위로 그대로 올라간다. 고공으로 미친 듯이 날개를 살짝 접고 날카롭게 날아 올라간다. 바람은 돌풍처럼 불어 머리카락을 허리까지 늘어트리게 만들고 바람의 소리는 새가 휘파람 불 듯 귓가를 먹먹히 만든다. 그렇게 공기층이 희박한 곳까지 갔다가 수영장에 빠지듯이 온몸의 힘을 빼고 온 날개를 편 채로 공중에서 잠이 들어 보고 싶다. 그게 노랫말처럼 공중 정원이겠지. 거기선 봄의 햇살도, 바람도 청명한 하늘과 푸른 대지도 그저 우주의 일부로 보일 것이다. 난 매일 이 꿈을 꾸다가 눈을 뜨고 버스 창문 너머를 바라본다. 참 잔인한 4월이구나- 싶다. 점점 푸르러지네. 재수가 없다. 그래도 싹이 트고 얼른 대지가 깨어났으면 싶다. 나는 소생이 느리더라도 그들은 살아 움직이길 바란다.

4월은 느린 계절.

강조하며 살아가는 인간의 본능。

누군가를 또 무언가를 사랑하기 시작하면 세상 모든 수식어를 품에 안게 된다. '정말', '너무', '많이'와 같은 것들. 사랑한다고 고백하더라도 그 앞에 꼭 강조하는 말들을 덧붙인다. '정말 사랑해.' 이건 그저 사랑한다고 말하는 담담한 고백보다 더 간절하고 진실해 보이기도 한다. 사람들은 언제부터 집요하게 자신들의 고백을 강조하며 살아온 걸까. 이 사람은 날 '정말 많이' 사랑하는구나 하며 감동받았던 나처럼, 이 지구상 어느 누군가는 자신들이 얼마나 상대에게 큰 사랑을 받고 삶 속 깊은 존재가 되었는지 끊임없이 확인받고 싶어한다.

아마 이것 또한 우리가 흔히 알고 있는 인간의 본능-식욕, 성욕, 수면욕과 같은 일종의 본능일지 어라. 이렇게 빛나는 나 자신이 누군가에게 사랑받길 원하고, 그것으로부터 '나'라는 존재에 확신을 얻는 것. 원하는 상대에게 설상가상 사랑받지 못하더라도 그저 한순간의 아쉬움일 뿐 무덤덤한 이가 된다면 좋을 텐데. 하지만 만약 지구상 모든 이들이 사랑받고 싶어 하는 욕구를 가지고 있지 않았다면 우린 이렇게 서로의 삶에 때론 끼어들고 간섭하며, 어느 날은 한마음으로 안아주는 그런 생을 살지 못했겠지. 그러하여 삶이란 참 재밌고 멋대로인 것 투성이라는 말이 생각난다.

난 사랑 받고 싶어 하는 그 마음이 좋은 것이다, 혹은 나쁜 것이다 라고 정의할 수 없다. 나 자신이 어떤 사람인지 평생 정의하지 못할 것이 분명하기 때문에. 난 어떠한 감정도, 상태도 딱 이렇다 정의하지 못한다.

다만, 사랑받고자 할 때도 나 자신을 사랑해 주는 그 마음을 베이스로 깔아 두길 바란다. 이건 나 자신에게 바라는 것이지만 동시에 자신이 생각하는 '못난 나'를 사람들에게 선보이며 이런 나라도 사랑해 달라고 속울음을 터트리는 모든 아픈 이들에게 전하는 바람이다.

'이런 나라도 사랑해 줘서 고마워'가 아닌 '빛나는 우리가 지금을 사랑할 수 있어, 이 순간에 감사해'라는 말이 나오는 그 날까지.

'너무 많이' 아프지 말자.

진주 아이。

아이야 고개를 들면 너와 닮은 하늘이 보인다
스치는 바람에도 살결이 에는 추위에 우는
네가 아니었니

아이야 고개를 내리면 심해가 떠오른다
겹겹이 상처가 되어 휘몰아치는 파도는 오늘도 말한다
파도로 아픈 상처를 쓸어내고 밀어낼수록 심해를 바라
보라고

상처 틈 사이로 진주가 보인다

항해하는 사이 부딪치는 모든 것들에도

모험이 설레어 뛰는 진주 가슴을 품었던 네가 아니었니

바다야,

소년아,

진주 위로 환희가 비친다

항해하라

헤엄치자

진주를 품은 너.

우리 사이에 영원이라는 건.

사람들은 영원에 집착한다. 특히나 사랑이 얼마나 영원할지, 그것이 죽고 나서도 후세에도 끊임이 없을지 궁금해한다. 나 또한 그래왔다. 영원을 좇아서 끊임없이 보이지도 않고 잡히지도 않는 것을 갈구하고 그것을 뛰어넘어 사랑을 구걸했다. 그런데 지금은 어떠한가. 그저 사랑하는 데에 집중하려 한다. 영원한 것에 대한 이상은 삶을 살아가는 데에 있어 막힘을 돌파시켜 줄 양분이 된다. 그런데 그렇다 해서 온전히 이상 그 자체를 모두 다 쟁취할 순 없다. 그래서 현실이 아니라 이상을 좇는다 표현하는 것이다. 이상은 맞이할 수 있는 것보단 좇아가는 것에 가까운 것이다. 연인 간의 관계도 그렇다. 헤어지지 않는 사랑, 이별이란 존재하지 않는 영원한 사랑, 끝없는 열애. 모두 그것을 첫째로 여기고 처음을 시작한다. 하지만 그들 중에 반절 이상은 이별을 맞이하고 또다시 이상을 향해 나아간다.

나도 그렇다. 얼마 전 이별을 맞이한 채로 이보다 영원한 것은 없을 거라 생각했던 열애가 그대로 마침표를 찍자, 영원이라는 건 어쩌면 '불가능'에 가깝지 않을까, 하는 생각에 사로잡혔다. 파란 카네이션의 꽃말은 '불가능'과 '영원한 행복'이라고 한다. 정말 모순적이지 않은가? 어떻게 영원한 행복이라 말하면서 불가능을 표현할 수 있다는 말인가. 처음엔 이해가 안 되면서도 종국엔 그 의미를 새롭게 이해하기 시작했다. 결국, 영원이라는 건 불가능하다는 것이다. 누군간 내 글에 대해 허무주의라 비판할 수 있다. 하지만 필자 생각엔 그러하다. 푸른 카네이션 안에 우리가 간과한 진리가 담겨 있다고 생각한다. 우리는 '영원한 행복'이 매 순간 함께하길 바란다. 심지어는 사후에도 우리의 존재들에 대해 갈구하고 바라며 일종의 기도 의식 같은 걸 통해서, 종교를 통해서 죽고 나서도 자아가 계속 살아 있길 바란다. 그러나 그것들은 정말이지 지금 살아 있는 우리에겐 모르는 일일 뿐이다. 누가 알겠는가. 사후에 내가 영원할지, 또다시 영혼이 다른 몸으로 들어가 살아갈지 누가 안단 말인가. 그렇기에 뭐든지 영원하다 믿는 것은 '불가능'에 가까운 믿음이라 생각한다.

우리는 순간과 순간 사이를 매듭지으며 하루 안에서도 매번 다른 감정을 느끼고 살아간다. 오늘, 이 살아 있음에 감사해야 하는 이유도 여기서 비롯된다. 순간을 살아가기에 그다음 일어날 일 또한 예측할 수 없는 것이다. 우리가 영원한 존재가 아니기에 몇몇 성인들이 순간을 살아가라고 말하는 것처럼 말이다. 그러니 우리는 영원한 행복보단 살아 있음의 찰나에 기뻐하며 순간을 살아가고 맺어야 한다. 그렇게 한다면 영원에 가까워질 순 없어도 후회 없는 생을 맞이할 수 있을 것이다.

타는 듯한 가슴.

허름한 가게에서 불씨를 샀다.
곧 꺼질 듯한 작디작은 불씨.

이 불씨 어떻게 살릴까.
이 가슴 속 열정은 타들어 가는데
손 위 불씨는 잿더미로 수북하다.

그리하여 주인장의 충고를 빌려
몽상가라는 직업으로 꿈이라는 숨결을 불어 넣을까 한다.

말라비틀어져 가는 이 불씨를 살리려 이내 가슴,
들숨날숨 모두 모아 이생의 불꽃 모두 피워 보려 한다.

파란 심해. 인간은 늘 쉽게 넘어지곤 한다。

*사람은 병에 찌들면

약을 가진 사람보다

같은 병에 걸린 사람을 찾기 시작한다.

*나의 블로그 이웃 '지열발전소'님께서 남겨 주신 문장임을 밝힌다.

한 아이는 어릴 적부터 품고 살아온 우울을 접고 날아가려고 할 때마다 파랑의 심해로 곤두박질치곤 했다. 물론, 그 실수는 쉽게 해결되진 않았다. 누군가는 쉽게 헤엄을 쳐 나올 수 있다며 아이를 나무라기도 했고, 누군가는 물장구를 더 강하게 칠 수 있을 때까지 심해에 가라앉아 쉬어도 된다고 감싸주기도 했다. 아이는 그 누구의 말도 따르지 않고 나의 우울, 나의 파랑을 가지고 있는 이들을 찾아 나서기 시작했다. 그건 아이 개인에게 있어 짙고 짧았던 파랑의 역사 중 가장 파랑이 옅어지던 날이었다. '나만의 파랑이 다른 누구에게도 살아 숨쉬는 거였다니.' 온몸이 새파란 사람을 바라보며 무슨 표정을 지어야 할지 몰라 입꼬리를 위아래로 씰룩이다 손을 내밀었다. 우울을 가득 품고 있던 사람은 한참을 머뭇거리다 아이의 손을 잡았다. 아이는 자신도 모르게 울음부터 터트렸고 둘은 각자 남는 손으로 눈물을 훔쳤다. "내가 손을 잡으면 온몸에 묻은 내 우울, 내 파랑이 당신 손에 묻힐까 무서웠어요. 그래서 한참을 고민했던 건데…. 그게 무색하게도 우리 둘은 이렇게나 멀쩡하고, 옅어졌군요." 그 말에 아이는 옅어진 제 파란 손바닥을 펴 보며 눈물을 뚝뚝 흘리곤, 개구진 웃음을 말아 올렸다. 기쁨의 웃음과 울음의 동시성은 언제나 태초의 경험처럼 다가온다는 걸 아이는 그제야 깨달았다.

이야기는 이렇게 꽤나 싱겁게 옅어지며 끝난다.

누군가는 감정의 전파력을 염려하며 내가 '파랑'이라 부르는 우울을 가진 사람들이 서로 만나며 감정을 나누는 것을 걱정한다. 하지만 첫 문장처럼 사람들은 약을 가진 사람보다 같은 병을 앓고 있는 사람을 찾으려 한다. 같은 색을 가지고 있는 사람에게 끌리는 것은 일종의 본능일지도 모른다는 생각마저 든다. 나는 여전히 나의 파랑이 누군가에게 옮겨질까 봐, 그 사람을 더 짙게 만들까 봐 걱정하는 이들에게 이와 같은 말을 전하며 먼저 악수를 청한다.

"세상, 혼자 살라는 법 없어요. 우리 모두 마음속에 각
자의 파랑을 숨긴 채 살아간답니다. 어서 손을 잡아요.
당신이 혼자가 아니란 걸 파란 하늘도 알려 주잖아요."

세이렌의 절규。

어지러운 세상에 사이렌이 울린다
어부들을 뒤로하고 육지로 올라온 세이렌의 입가에선
푸른 비늘이 찰나에 반짝거린다
한 걸음 걸을 때마다 귓가에 꽂히는 절규들

다리를 얻은 대신 목소리를 잃어 뻐끔대다가도
그만 비명을 지르고 만다
그제서야 절규를 멈추고 바라보는 사람들
인간들과 똑같은 절규에
세이렌의 입가에선 잿빛 비늘이 후두둑 떨어진다

이 어지러운 세상, 이제 그만 바다로 돌아가야 할 텐데
울부짖는 세이렌을 보던 흑범고래는
가만히 응시하다 파도를 일으키며 반짝, 사라져버린다

남은 건 세이렌과 절규하는 이들 그리고 세상.

별의 춤。

새벽별이 솟아올랐다.

별똥별은 방울져 떨어지고
누구의 것인지도 모르는 그림자들은
서로 부둥켜안고 춤을 춘다.

수많은 별을 꼭짓점 삼아 왈츠를 추는 그림자들.

나도 괜스레 춤을 추고 싶어
하늘로 손을 뻗곤 쏟아지는 별똥별의 꼬리를 잡아 본다.
손바닥을 펴 보면 별 가루들이 가득 묻혀져 있다.

어딘가 새콤하고 따스한 맛.

그대로 밤하늘로 날아올라 새벽의 왈츠를 함께 한다.
아무도 모르는 나만의 왈츠.

나만의 그림자,

나만의 새벽 별,

별들이 웃는다.

당신의 죽음이 클리셰가 되어。

당신의 죽음이 클리셰로 남는다면 도대체 우린 얼마나 슬픈 삶을 살고 있는 것인지.

세상의 모든 짐을 내려놓고 싶다는 그 표현이 나에게 진부해지기까지 당신은 얼마나 차가운 바다에 빠져 허우적거렸을지 가늠할 수가 없어. 사람은 살기 위해 태어난 것 아닌가? 우린 죽기 위해 태어났나. 삶은 탄생의 시작부터 죽음에 가까워지는 것인데 그럼 삶은 무엇일까. 우리 모두 죽기 위해 태어난 것일까? 죽음이 드리워지는 것 같다고 아니, 생을 자의로 내려놓고 싶다는 당신의 말이 진부한 표현이 되어버렸다는 것 자체가 나를 울먹이게 해. 언제부터 당신은 죽음을 떠올리고 목구멍에서 차오르는 울음을 허구헌날 삼켜냈던 거야? 왜 그게 당신 혼자의 몫이 되지? 우리는 '우리'라는 이름으로 의지하고 견고해졌던 것 아닌가. 우리의 죽음이 어느 진부한 클리셰가 된다면 나는 마침내 그 문학 작품의 결말을 찢고야 말겠어. 우리의 마지막이 정말 마지막 페이지로 전시된다면 난 죽음이 드리워진 곰팡내가 나는 종이책을 태우고 평안을 찾겠어.

귀한 당신, 죽음은 진부한 표현이 되어선 안 돼. 당신도 잘 알잖아. 삶은 고결하고 흐르듯이 때론 애를 쓰면서 살아가는 거야. 살아서 나아간다는 것이 비록 죽음일지어도 그 죽음은 반드시 처절한 절망 속에서 맞이하지 말아야 해. 누군가 그랬지. 삶은 유한성이 생을 빛나게 해준다고. 모든 것은 유한해서 아름다운 거야. 그 자체로 가치를 지니는 거고. 사랑을 제외하고. 이렇게 아름다운 사랑이라는 별종의 예외가 있으니 우린 그 별종 하나를 쥐고 언젠간 닥칠 죽음을 알면서도 살아가는 것이지. 이제, 당신은 어떤 문장을 내뱉을까. 부디 그것이 또 죽음이 밴 문장이지 않길 바라. 그저 살아 있음에 숨통이 트이는 세상을 맞이하길. 그 진부한 죽음 클리셰를 깨트리면 당신 앞에 삶의 엘도라도가 놓여 있어. 그러니 살아줘. 당신의 죽음이 클리셰가 되지 않도록.

나의 페르소나。

겁이 많은 나의 페르소나
그대는 언제 사라질지 몰라 벌벌 떨곤 하지

페르소나,
불행히도 난 매 순간 널 파멸하려 했지만
이젠 그게 해야 할 일이 아니란 걸 알아

페르소나여 남들 앞에서의 너는 거짓일까?
타인이 보는 넌 있는 그대로 믿어지는 존재일 텐데
그들에겐 내가 페르소나겠지

이제 난 널 해치지 않아
네 멋대로 살아 보렴 페르소나
아무도 널 해치지 않아
넌 사라져야 할 존재가 아니야

나의 페르소나에게.

고백할 것이 있다.

기형도 시인의 '질투는 나의 힘'을 읽어 본 적 있는가?

나의 생은 미친 듯이 사랑을 찾아 헤매었으나

단 한 번도 스스로를 사랑하지 않았노라

기형도 시인 - 《질투는 나의 힘》

솔직한 고백을 해 보고자 한다. 이 글은 우연한 계기로 글을 읽는 당신과 나의 비밀이 될 것이다. 가장 큰 치부에 대한 이야기이기에 난 아직 이 주제를 말하는 것이 낯설고 두렵기도 하다.

난 모두에게 사랑받고자 하며 나를 향한 단 하나의 미움도 용납하지 못한다.

그래, 욕심이고 일종의 이것도 질투라 할 수 있을 것 같다. 나는 미운털 하나 안 박히고 싶다는 욕심과 사랑으로 이루어진 것 같은 불특정 다수를 향한 질투가 조잡하게 섞여 있는 인간인 게 분명하다. 나 자신이 온전히 존재한다는 것만으로 그저 안도하고 기쁨을 누릴 줄 알아야 한다는 걸 끊임없이 되새기면서도 마음은 매번 조급해진다. 항상은 아니지만, 연락이 꾸준히 되던 친구가 웬일인지 소식이 없을 때, 누군가 SNS에 특정 상대를 탓하는 글을 올렸을 때 나는 매번 내가 아닌 줄 알면서도, 잘못한 게 없는 상황에서도 자주 마음의 길을 잃는다. 혹시 내가 잘못한 게 있나, 생각하는 것이다. 그러면서도 겉으론 평정심을 유지하는 척한다. 이건 자기방어라 할 수 있는데 마음의 평정심이 흔들리는 모습을 누군가에게 보이면 다른 사람들 앞에서 내가 '나답지 못한 것 같다'라는 생각을 하게 된다. 나의 페르소나를 지키기 위해 일단 응급처치로 드는 생각이 바로 위에서 말했던 '성숙한 모습을 보여야만 해'인 것이다. 그렇게 지낸 지가 벌써 십여 년이 지났다. 머리가 굵어져서 배운 건 여러 가면을 만드는 일과 사람들에게 살짝 등 돌려 재빠르게 가면을 바꿔 채는 일이었다.

그렇게 페르소나들을 만들었다. 나 대신 살아가는 가면의 아이들을 창조하고 난 마음껏 마음 한 켠에 박혀 고개를 숙이고 있었던 것이다.

그런데, 이젠 이렇게 살 수 없을 것 같다.

변화는 시작되어야 한다. 즉, 나는 무작정 앞으로 나아갈 게 아니라 지금 당장 나 자신의 상태부터 살펴야 한다. 시간은 유한하고 찰나와도 같다. 날 사랑해 주는 사람들의 따뜻한 말을 뒤로 하고 혼자 생각하고 등 돌릴 순 없는 법이다. 왜 그렇게 생각하냐며 타박하지 않고 언제나 전화하라며 안부를 물어 봐주는 이들에게 나는 내 모든 사랑을 전한다.

그리고 나의 '가면의 아이들' 페르소나들에게도 안쓰러운 눈길로 보듬어 주려 한다. 언젠가 이 아이들도 독립을 하겠지. 그땐 아쉬움 없이 한 번의 포옹과 함께 작별을 고하려 한다.

거울 속의 나。

한 여자가 자신의 어릴 적 저금통을 가른다.
나온 건 무수히 많은 동전들
쇳내가 가득 묻혀진 손으로 거울을 사러 간다.

아직도 나 자신을 찾지 못해 자신의 웃는 얼굴을
단 한 번도 보지 못한 그.

싸구려 가짜 거울을 사,
집 안에 걸어 두곤 한참을 바라본다.
입꼬리는 올라갈 생각을 하지 않고
웃는 얼굴을 볼 눈에 걸린 자물쇠는 열릴 생각도 안 한다.

얼마나 거짓으로 살아 온 것일까.

문득,

그녀는 이런 생각을 하였다.

가짜투성이인 자신의 마음과 표정을 열기 위해

거울을 껴안아 보지만 눈물 자국이 거울을 더럽힐 뿐이다.

한참을 울어도 진실의 눈은 떠지질 않는다.

울면서도 그는 자신을 부정하기에

눈꺼풀의 자물쇠는 영원히 잠겨 있을지도 모른다.

진정한 현실의 자기 자신을 보지 못하는 그이기에

흐르는 눈물 때문에 자물쇠는 녹슬기만 할 뿐이다.

검은 행거칩。

절대 뒤돌아보지 않는 이가 있다고 한다.
저 멀리 창가엔 노란 깃발 휘날리고
벚꽃 만개한 길 따라 걷다 문득 그 자리에서 묻는다.

너 왜 여기 서 있니

스스로에게 묻는다.

순간,

검은 깃발 하늘에서 흩날리며 떨어지고
언제 그랬냐는 듯 벚꽃잎은 바닥으로 다 떨어져
나무 그림자에 핀 꽃잎처럼 보인다.

이걸 '낙화 나무'라고 하나.

나무는 스산하게 검은 깃발을 가지에 걸치고
몸을 흔들어댄다.
낙화의 길, 잘못된 길임을 안다.

무작정 앞만 보고 가지 않도록
검은 깃발 한 장 주워들어 행거칩으로 넣어 둔다.

靑春의 고리。

나는 토성의 고리 위에 서서 내가 하는 일이
의기에 차 있는 줄 알며 제자리에서 뱅뱅 돌았다.

청춘도 그런 게 아닐까.
춘분에 다다른 줄 알고
은빛 별들의 반짝임을 벗 삼아
끝없는 낮의 길이에 안도하며 달려가는 것.
얼비치는 태양 빛 하나만을 바라보며
또 다른 내일의 나를 맞이하려는 것.
이게 지금의 당신, 과거의 당신, 靑春.
하이얀 순백의 아득한 어린 과거의 당신에게
지금의 당신은 고리를 돌며 아픔 웃음을 보인다.
작별을 고하며 보내 준다.

별을 쫓는 아이.
별빛만 쫓으며 달려 온 아이가 있다.

요즘 같은 세상에선 밤하늘의 별 하나 찾기도 어려운 하늘이니 뭘 해야 할지, 어디로 달려갈지 모르겠다며 투덜대기도 한다.

항상 바다 위 사람들에게 방향을 알려 주었던 북극성마저 제대로 빛을 발하지 못하는 시대. 인공위성은 북극성의 역할을 뺏어버렸다. 밤하늘에 반짝이는 것이 위성인지 북극성인지 구분하지 못하는 아이는 방향성을 잃고 매일 자신의 길을 찾아 헤맨다.

고대 사람들은 별이 신들의 눈이라고 믿었다던데, 그 많던 신들은 이 시대에 잠시 눈을 감고 모르쇠하는 것일까. 밤하늘이 공해 때문인지 유독 뿌옇고 별들이 보이지 않아 탁하다. 별만을 쫓아서 달리는 인간들 때문에 잠시 모른 척 눈을 감고 있는 것일지도 모른다.

별을 쫓는 아이는 언제쯤 진정한 북극성을 찾을 수 있을까.

애야,
때론 돈키호테처럼 나아가렴.

애야 때론 돈키호테처럼 나아가렴. 꿈이 전부인 것처럼. 그 꿈 앞에서 눈물 흘릴지언정 그 무엇도 너를 막을 수 없도록 나아가렴. 세상 앞에 함부로 고개 숙이지 말고 닿지 못할 하늘을 좇아도 되니 결코 꿈 앞에서 쉽게 포기하지 말아. 포기에 가까워져도 최선을 다할 것을 잊지 말아.

최선을 다한 포기와 자신의 한계를 측정하고 짓는 포기는 결코 다르다는 걸 잊지 말렴. 운명은 누구의 손에도 달려 있지 않아. 삶은 살아지기도 하지만 과거의 나의 선택이 나의 후의 삶을 살아지게끔 만들기도 하니까, 너의 운명은 네가 개척하렴. 척박한 대지가 눈앞에 놓이고 태양이 그 메마른 땅마저 일렁이게 만들어도 결코 그게 끝이라고 생각하지 말아. 삶의 씨앗은 눈앞에 놓이지 않아. 땅 위에서 자라지 않아. 깊은 대지 속에 숨어 있으니 당장 눈에 보이지 않는다 하더라도 피어날 삶을 발밑에 두고 성급하게 땅을 드러낸다거나 지나치지 말렴.

아마 삶을 영위하고 있다는 것만으로 너는 충분히 삶을 즐기고 있는 걸지도 모른단다.
살아가 줘서 고맙다 얘야.

떡.

구워지는 우리들의 삶

이리저리 뒤집혀 서로 달라붙어 엉키는 우리들의 삶

무엇이 정답일까 알지 못한 채로

보름달처럼 둥글게 삶이라는 하늘 위로

우리들의 일상은 떠 오른다

얼마나 떠 오르고 져야만 끝이 올지 알지 못한 채로

타들어 갈 수 있는

때론

노릇하게 진득하게 구워지는 삶

우리는 어떤 것을 마주 볼까

오늘도 앞을 모르고 수면 위로 떠 오른다.

꽃샘추위。

계절마다 존재하는 사랑들.

겨울에 탄생한 존재. 때때로 인간들이 이해할 수 있는 형태로 우리를 찾아온다. 아무도 없는 겨울, 모두 잠을 자고 있는 그 땅을 걷다 방금 떨어진 낙엽을 바스락 밟는다. 깜짝 놀라 한 발자국 뒤로 가지만 이미 건조하다 못해 바스라져 바람을 타고 먼지처럼 날아가는 잎. 바닥에 몸을 붙인 채 잠을 청하던 낙엽마저 사라지자 외로움에 몸서리친다. 그러다 인간들이 사는 네모난 집 앞에 서서 있는 힘껏 휘파람을 휘익- 불어본다. 인간들은 창문가에서 윙윙 소리가 들려오자 바람이 더욱 거세짐을 알고 겹겹이 덧문을 닫아버린다. 자신 때문에 벽을 더 쌓는 인간들을 보며 한숨을 쉬다가도 하얗게 뭉글거리는 숨이 금방 증발해버리는 걸 보고, 자신도 곧 이대로 사라져 버릴 것이라 생각하곤 나무 위로 작게 올라온 싹을 바라보며 눈물짓는다.

샘이 나고 눈물겨워. 나는 왜 이 추운 날 태어났을까. 봄이라면, 내가 그렇게 바라는 봄이라면 분명 자신을 축복하는 대지를 사랑하겠지. 이렇게 메마른 땅은 날 반겨주지 않아. 나의 존재가 이 세상에 왜 필요한 것이지? 도대체 왜. 겨울의 절규는 모든 생명을 더 얼어붙게끔 만들었다. 나무들은 한껏 추위에 떨며 이리저리 흔들렸고 사람들은 이제 나올 생각조차 하지 않는다.

"인간들은 이런 걸 꽃샘추위라 부르며 나를 원망하곤 얼른 봄을 기다리겠지. 이 순간에도 말이야."

움츠러들수록 이 추운 겨울날은 살갗을 더 거칠어지게 만들 뿐이었다. 그때, 퍽퍽하고 추운 땅을 비집고 복수초 싹이 피어나고 봄이 천천히 겨울을 향해 다가온다. 그리되고 싶었던 봄, 온갖 것들이 만개하는 봄. 사람들이 사랑하는 봄. 겨울은 원망스러우면서도 자신이 떠나

면 봄이 올 수 있다는 생각에 모든 걸 봄의 햇살에 녹여
낼 준비를 마친다.

하지만 봄은 곧장 겨울을 껴안아 주고 끝이 아니라며 가
을이 널 기다린다고, 우리 잠시 쉬러 가자며 겨울을 일
으켜 세운다. 겨울에도 꽃을 피우는 복수초를 가르키며
봄은 그에게 다시 또 만날 작별을 고한다. 겨울은 자신
도 피울 수 있는 꽃이 있다는 걸 알곤 복수초가 핀 언 땅
위로 눈물을 쏟아낸다. 그리고 온몸으로 울어 다 녹아버
린 겨울. 복수초는 그걸 샘물이라 여기며 더더욱 영원한
행복을 활짝 피워낸다.

사계절이란 이렇게 고통과 기쁨 속에서 반복된다. 인간
들은 모르는 그들만의 삶의 순환으로.

사포 위 별 하나。

이 거친 사포 위에 별 하나 찍어 본다
삶이라는 거친 사포

하얀 색연필로 난도질한 것 같은 하늘
천명하기 짝이 없다

신들의 눈이라 불리는 별들이 우릴 지켜본다.
지구인들은 저런 걸 낭만이라 부르냐며
유성우 같은 눈꺼풀을 깜빡인다
카시오페아의 꼬리라도 따라잡아 보려 애쓰는 우리들

거친 사포 위 별들은 낭만이다

사포 위 흉터인지 신들의 눈인지 모르는 별들이 반짝인다

한창 새벽 밤의 일이다

소녀 나무 그리고 나。

소녀여 대답해 보라

왜 대답하지 않나

늦은 밤 깜빡거리는 전등 밑에서

고개 숙인 채 들었던 라디오

낡디낡은 먼지 쌓인 라디오의 퀴퀴한 음성을 들었는가

과거의 목소린 어땠는가

무언가 잠긴 듯한 들릴 듯 말 듯 웅얼거리는 음성이었나

스쳐 지나가듯 가깝다 느끼기엔 이미 놓쳐버렸고

멀다 느끼기엔 아차 싶은 한순간이었는가

과거란 그런 것인가.

나무여 대답해 보라

어째서 너도 고개를 숙이고 있나

인간은 듣지 못하는 소리를 너는 듣고 있다고 믿는다

지난밤 너는 어떤 바람 소리를 들었나

바람이 어떤 대화를 걸었길래

너는 야밤에 그리 온몸을 진동하며 괴로워했나

고개를 들어라 바닥에 무엇이 있길래 넌 바닥만 쳐다보나

그래 네가 쳐다보는 것은 뿌리였구나

새싹의 너

작은 묘목의 너

한창 푸르던 너

이리저리 바스라지던 너

모든 걸 담고 있는 뿌리를 바라보는구나

너도 소녀와 다를 바 없다
과거의 목소리를 듣고 과거의 형태를 보고
소녀와 나무 너를 보며 난 고뇌해 본다
과거의 나의 목소리와 나의 생김새
잊고 지냈던 시간을 꺼내 보며
나도 마음껏 이 밤에 흔들려 본다

오늘 밤 고개를 숙이는 우리 셋.

평생 어른 아이로 살아왔습니다.

어느덧 뜨거운 여름이 다가왔습니다.

이토록 푸른 내음이 가득한, 그리고 청춘을 아득하게 떠올리게 만드는 봄이 지나가는 것이 사뭇 아쉬운 여름의 한 나날입니다. 이 뜨거운 열기에 몸이 녹아내리지 않을까 싶다가도 어여쁜 봄에게 질투가 나 열이 잔뜩 오른 여름이라 생각하니 그 모양이 참으로 귀여워 웃음이 나옵니다. 아 참, 오늘은 짧은 이야기를 들려 드리려 합니다. 사막, 소년, 발자국에 관한 이야기입니다. 부디 시작도 전에 당신에게 지루함을 안겨다 주지 않길 바라며 이야기 남겨 보도록 하겠습니다.

사람들 사이에서 어른 아이라고 불리는 한 사람이 살았습니다. 그러나 자신이 왜 어른 아이로 불리는지는 알지 못했습니다. 그 사람은 자신이 하는 일에 있어 언제나 앞만 보고 달려 나가는 사람으로 유명했죠. 물론 결과물들이 그렇다 해서 항상 좋은 것만은 아니었습니다. 실패도 하고 성공도 하며 지내다 어느 날은 유난히 최근 들어 실패만 하는 자신이 이상해 어른 아이의 상징이었던 자신감을 푹 죽인 채로 지나가던 노인에게 물어보죠. "저는 왜 실패할까요?" 노인은 말합니다. "알고 싶거든 사막으로 가게나." 그렇게 어른 아이는 곧장 사막으로 향합니다.

사막에 도착해 텁텁하다 못해 걸을 때마다 푹푹 꺼지는 사막 위를 걸어가게 됩니다. 아무도 걸어가지 않은 길. 태양 밑으로 삐삐 마른 선인장이 우두커니 서 있을 뿐 생명이라는 것을 찾아보긴 힘듭니다. 몸속에 저장해 둔 조금의 수분으로 오늘 하루도 연명해 나가는 것 같은 선인장을 바라보며 꼭 힘이 다 빠져 태양 밑에서 기진맥진한 자신을 보는 것 같아 어른 아이는 걸어가다 그대로 주저앉아 왜 노인의 말을 믿고 무작정 사막으로 온 것인지 자책하며 눈물을 방울방울 흘리기 시작했습니다.

그러자 그 자리에서 작은 선인장이 생명의 씨앗에서 기지개를 피기 시작합니다. 어른 아이의 눈물이 양분이 되어 주었던 것이죠. 어른 아이는 눈물을 그치곤 선인장을 빤히 쳐다봅니다. 좌절과 후회가 담긴 눈물도 결국 양분이 되어 또 다른 성장을 불러일으킨다는 것을 알게 된 것이죠. 그리고 선인장의 가지가 가리키는 곳을 보고 이번엔 환희의 눈물을 흘립니다. 자신이 여기까지 걸어 온 과거의 발자국들이 어른 아이를 반기고 있었습니다. 어느 한 발자국도 필요 없는 것은 없었으며, 모든 발자국이 있었기에 자신이 여기까지 올 수 있었다는 걸 깨달은 어른 아이는 그 발자국을 따라 다시금 마을로 향합니다.

과거의 내가 했던 일이 다시 집으로 돌아갈 수 있는 지도가 되어 준 것이죠. 발자국을 따라가다 보니 다시 마을의 노인을 만날 수 있었습니다. 노인은 기쁨이 가득 찬 어른 아이의 눈을 바라보곤 말합니다.

"이제 당신을 어른 아이라 부를 이유가 없어졌다네."

비록 어른 아이의 몸은 온통 흙투성이였지만 아무렴 상관없다는 듯 환하게 웃었습니다. 그 이후, 어른 아이는 어른이라 불리게 됩니다.

네, 진정한 어른이 된 것이죠. 이 이야기를 들려 드리게 된 이유도 제 삶이 어른 아이 이야기와 비슷한 구석을 지니고 있기 때문입니다. 전 미움과 후회만을 삶의 양분으로 착각하며 살아왔습니다. 그런데, 생각해 보니 지도 없는 모험을 그저 무작정하고 있더군요. 뒤늦게 사막의 발자국을 돌아본 지금, 당신에게도 나에게도 과거의 실수가 담긴 지도를 지니고 있는 게 얼마나 가치 있는 일인지 전하고 싶어 이 이야기를 편지와 함께 부쳐 드립니다.

부디, 힘겨운 삶에 마음이 바닥으로 향할 때 곱씹어
주시길 바라며 글을 마칩니다.

이 여름도 자주 기쁘시길 바라며.

4장。

얼렁뚱땅 문장집。

첫 번째 문장집.

2021년 나에게 보내는 편지

20년 따뜻한 겨울의 어느 날, 난 사랑에 충실한 이가 되기로 마음먹었다. 사랑에 충실한 것이 잘못된 것일까. 그건 아닐 것 같은데. 너는 사랑에 충실하니 완정아? 지금은 11월이야. 결코 후회는 없지? 때로는 모진 사람도 되어야 네가 살 수 있어.

그리움을 삼킬 수는 있는 거야?

어떻게 이렇게나 보고 싶을 수 있는 건지, 혀끝에서 보고 싶다는 말이 차마 뱉어지지 못하고 구슬처럼 뭉쳐진다.

보고 싶다. 보고 싶어. 너무 보고 싶은데 이젠 삼켜내기엔 너무 덩어리가 커져 버렸어. 그리움의 덩어리.

곰팡이가 쓴 나무

어쩌면 김영하 작가가 말했던 곱게 늙지 못한 미소년과
곰팡이가 쓴 나이테는 같은 의미일지 모른다.

물을 수집하다

후황을 켜지 않고 문을 잠근 채로 들어가 샤워해 생긴 수증기처럼 너무 가벼워 눈에 보이지도 않지만, 너무 무겁고 축축해 잠시 휘청거렸던 그때의 그 느낌.

슬픔을 나타낼 땐 파란색이 잘 쓰이고 심지어 우울감을 표현할 때도 블루라는 단어를 쓰던데 내가 느낀 진실된 슬픔은 곧 사라질 것처럼 너무나 진하고 쨍한 녹색이었다.

물 수집가

물은 소유할 수 없으니까 내가 지금 본 물결도 눈 깜빡할 새에 흘러가 버려 두 손에 담은 물은 아까 내가 본 그 물이 아니다. 그래서 소유할 수가 없다. 아무리 병에 담고 몸에 담아도 물은 고이지 않고 계속 흘러간다. 그래서 아름다운 것인데 난 그래서 슬프기도 하다. 아까 본 그 아름다운 물은 매 순간 흘러가 다신 보지 못한다. 유한해 보이지만 끝없이 흘러가는 것, 공존할 수 없는 유와 무가 한데 섞여 지들 멋대로 조화를 이룬다. 어쩌면 아무것도 없는 것이 존재하는 것이고, 지금 당장 존재하고 있는 것이 아무것도 아닐 수도 있다. 난 물을 수집하는 게 그래서 좋다. 난 분명 저장하는데 메모리에는 담기지 않는, 그저 그때의 그 윤슬과 물결의 파동이 보고 싶어 '워터'라고 써진 파일을 열면 어떠한 사진도 보지 못하고 물비린내를 맡는다. 그때 참, 물이 깊었지- 얕았는데, 이따위의 말을 하며 물을 회상한다.

연정의 말

몸엔 종일 미열이 잔잔히 흘러도 난 너와 열 오른 연애가 좋았어. 네가 사는 세상이 네가 다정한 것만큼 너에게 다정하면 좋을 텐데 그치.

마지막 전화 한 통。

응, 나야. 편지 잘 읽었어. 응. 이제 봄이 다 다가왔더라. 알지? 나 한참 전부터 잘 땐 반팔 입고 잤던 거. 벌써 더워. 하려던 말은 이게 아닌데 그치. 네가 무슨 얘기들을 나누고 싶어 하는지 알아. 근데 있지, 나는 너를 객관적으로 바라볼 수밖에 없다. 네 글은 마치 거무튀튀한 먼지 같아서 말야. 신선한 물과 볕을 다루는 비유여도 그 의미는 상실과 죽음에 가까워서 읽다가 항상 한숨을 내쉬었지.

여러 번의 만남 끝엔 결국 넌 사랑한다는 말을 포기했잖아. 무슨 사유가 있어서 좋아한다는 말은 해도 사랑한다는 말은 못 하는 사람처럼. 예전 같았으면 그새를 못 이기고 날 사랑하지 않는 거냐고 왜 사랑한다고 하지 않냐고 떼썼겠지만 이젠 그런 노력도 안 해. 너는 내가 눈치가 빠른 게 아니라 눈치를 자주 보는 사람이라고 했지만 눈치가 빠르기에 쉬이 다른 사람의 신호를 알아차리는 거야. 너는 날 안다고, 내가 너에 대해 모르는 게 뭐가 있냐고 했지만 너는 아무것도 모르는 거야. 난 너에게 솔직해졌다고 말했지만 난 영원히 제로에 가까운 사실을 보여 줄 수밖에 없어. 네가 솔직해질 마음이 없으니까.

만남과 이별을 잉크와 종이 그리고 종이에 닿는 펜촉으로 표현하는 네 글을 보면서 생각했어. 아, 나와의 이야기가 네 글의 소재가 되는구나. 나는 아파서 피하고 싶고 피하기 위해 글로도 남기지 못하는데. 너는 그게 되는 아이구나. 때때로 찾아오는 비관이라는 불청객을 맞이하는 건 나 자신인데, 너는 내가 슬픔과 다투고 싸운 무용담조차 들어주질 않더라. 이젠 내가 슬픔을 말하면 너는 지친다며 애써 변명하고 내빼지 않아도 돼. 따질 생각 없다. 처음엔 일종의 배신감과 함께 원망스러웠는데 이젠 그것도 그냥 그럴 수 있는 것 같아. 너도 힘든데 내 아픔까지 들어줄 여유가 없었겠지. 근데 자기야. 너는 왜 자꾸 아가미를 뜯으려 할까. 볕을 보고 싶다면서 아가미를 뜯어 물에 빠지려 하고, 다시 올라와 햇볕을 바라보려 하고. 지금 쓰는 네 글이 인위적이지 않은 날 것이라는 걸 왜 그렇게 증명하고 싶어 할까. 난 잘 모르겠다. 너는 너 자신을 알아가는 것 같은데 나는 널 점점 더 모르겠어. 살고 싶다면서 아가미가 뜯긴 채로 물에 처박히고 싶어 하고, 기포가 멎어 들면 햇볕을 위해 건져 달라는 네 말이 참. 그럼에도 이젠 억지로 사랑한다는 말을 하지 않고 사랑을 알 것 같다는 네 말이 다행이지 싶으면서도 슬프다. 러브레터 치고는 사랑 얘기보단 자기반성에 가까워서. 종이에서 펜촉을 떼어냈지만, 마침표는 찍지 못한다는 네 사연을 보며 내가 마무리 지을까 해. 새로운 너의 시작을 위해서 내가 새로운 잉크로 우리의 마침표를 찍을게.

엉뚱한 이야기.

이끼는 사람들이 사는 곳에 많이 자란다고 한다.
그만큼 다들 미끄러지고 또 미끄러지며 사는 거겠지.

-

영화 소울을 봤으니 하는 엉뚱한 말이다.
어렸을 땐 무교인 착한 사람은 죽으면 어떤 곳으로 가는지 궁금했다. 각 종교마다 다르니까 말이다. 나는 그때도 신은 한 분이 아니라 생각했기에 여러 신들이 모여 토론을 할 것이라고 생각했다. 그리고 이긴 신이 데려가는 것이다. 열한 살 시인들과 다를 바 없는 상상이다. 물론 지금도 가끔 이 생각을 한다.

2018년 러시아 블라디보스토크

초등학교 선생님께서 말씀하시길 안위를 챙긴다면 '관광'이고 모든 걸 다 벗어 던지러 간다면 '여행'이라 하셨다. 이 노트를 쓴 지도 3년이 다 되어가니 볼 게 참 많은데 그중 맨 첫 페이지에 이런 게 쓰여 있다.

2018.08.12.일요일 새벽 2시 30분쯤

여행을 떠나기 이틀 전.

여행에서 난 무엇을 느낄 것인가.

갔다 온 후, 이틀째 되던 날

이 페이지를 읽고 어떤 것을 느끼고 있을까.

아무것도 얻은 게 없어 여행을 다녀왔는지도 까먹었을까?

영혼이 없다고 소문이 난 소녀와 몸이 불편한 소년이 살았다. 소년은 다리가 불편함에도 소녀의 뒤를 곧잘 따라다녔다. 사람들은 그 둘을 보고 신이 내린 가장 큰 벌이라 했지만 난 소년이 넘어진 소리를 듣고 잠시 멈칫한 소녀의 발걸음을 보았다.

니체여 왜 신이 죽었다 말하였는가.

인간으로 태어나서 겪은 것들 말이야.

아이가 나와 이별할 때 말했다.

선생님, 왜 좋은 사람이랑은 빨리 헤어지나요.

글쎄, 내가 선생인데 그걸 모르겠다. 너처럼 좋은 아이
와 착한 아이와 헤어지는 날 모르겠다. 분명 이유가 있
는데 마음이 너무 아프다. 이유라는 건 왜 서로가 너무
애틋해지는 타이밍에 생겨버릴까. 그래서 추억이라는
단어가 생겼나.

꿈에서 할아버지가 무슨 일인지 돌아가시고 처음으로 말씀을 하셨다. 꿈속 모든 사람이 날 쥐어 흔들고 모진 말로 때리던 중에 할아버지는 날 함부로 괴롭히지 말라며 혼을 내셨다. 그러며 나를 등 뒤로 숨겨 주셨는데 꿈에서 한참을 울고 일어나서도 난 울고 있었다. 기억 속 항상 침상에 누워 계셨던 할아버지의 등을 처음으로 봤기 때문이었을까.

-

내 인생의 첫 행운이라고 느꼈을 때가 있다면 할머니와 놀이터 뒤편에서 밤송이를 깠을 때. 두 발로 짓이겨 눌러서 밤송이를 까면 밤이 뽁 나왔다. 너무 천이 얇은 신발을 신고 가면 가시 때문에 따가웠지만. 언젠가는 까는 밤송이마다 작아 두 개만 나와 아쉬웠는데 마지막으로 까야겠다고 생각한 한 개에 큰 알 세 개가 연달아 들어 있는 것이다. 나는 그게 내 인생 최대의 운이라 생각하고 먹지도 않고 보관해 뒀다. 사소한 것도 최고의 행운이라 생각하는 그 시절, 가끔은 너무 엄청난 걸 바라는 게 아닌가 싶기도 하다. 그쵸 할머니?

-

너한테 못한 말 수 없이 많아. 넌 주체가 아닌 이상 누구도 필자의 글을 완벽히 이해할 수 없다 했지. 내 글을 볼 수 있을지 몰라도 네가 보게 된다면 당연히 난 네가 백 퍼센트는 아니어도 거의 완벽히 이해할 글을 남기고 싶어. 사람은 못 놓은 지난 사랑 앞에서 시간이 지날수록 구차해지고 먼지들만 쌓인다는 걸 알아. 영원은 없다며 비관했던, 행복은 자기에겐 없는 것이고 나에게만 행복을 빌어줬던 네 모습이 선하다. 여전히 그러니? 이익을 가장 많이 따지는 관계가 연애 관계래. 욕심을 다 버리고 만나면 그저 손을 내미는 사람이 보이지 않을까. 그때 눈 딱 감고 가짜 영원이라도 믿어주라. 애초에 인간도 영원하지 않단다. 나만 기뻐지면 뭐 해. 너도 기쁨을 찾아야지. 애초에 우린 애와 환으로 둘러싸인 생이잖니.

그만 우물에서 나와. 여러 사람을 그리워하는 건 익숙한 일이야. 이상하다 여기지 말고 이제 그만 행복해져. 너는 좀 행복해져도 돼.

-

이제 새벽 3시마다 일어나 예불을 드리기로 했다. 기도를 드리는 것도 맞지만 가르침을 받고 내 자신을 지켜내고 싶다. 자꾸만 화목한 우리 집이 아니, 아파트라는 건물 자체가 마치 여러 감옥처럼 보인다. 5명이 지낼 수 있는 방, 2명이 지낼 수 있는 방, 1명이 지낼 수 있는 독방으로 그 안의 또 다른 방들은 칸만 나눠놨을 뿐 매일 똑같은 일상을 반복하며 씻고 일하고 들어오고 자고 슬기로운 감옥 생활을 하는 것은 아닌가 하는 생각이 들어 아파트 전체가 수감소로 생각될 때가 있다. 건강한 생각을 하기 위해선 영혼을 지키는 게 필요한 것 같다. 오늘부터 새벽 3시.

무제의 문장들 1。

무료해서 틀어 놓은 티비에서 오늘 밤 유성우가 떨어질 거라는 소식을 들었어. 아, 듣자마자 목도리를 두르고 밖으로 나갔지. 근데 사실 난 별 관심 없어. 내가 세상 모르게 자는 동안 감겨진 눈꺼풀 위로, 지붕 위로, 죽은 별들이 땅으로 곤두박질친다고 해도 나는 꿈속에서나 밤하늘을 올려다볼 걸. 그럼에도 지금 끝없는 언덕 위를 올라간다는 건 어쩌면 널 위한 것일지도 모르겠어. 누가 그러더라, 우리는 등 뒤로 별의 죽음을 알아차린다고. 나 역시 그래. 지금에서야 너의 부재를 알아차렸어. 과거의 네가 지금 날 만나러 온걸.

하지만 만남은 순간일 뿐이라는 걸.

연애는 만년필과 같다。

연애는 만년필과 같다. 잉크를 가득 채워 둘만의 영원을 써 내려가다 점점 희미해지는, 그렇다 해서 다시 잉크를 채워 넣으면 그 과정에서 손에 우리의 흔적들이 번지고 번져서 묻기도 한다. 그리고 처음 채웠을 때보다 더 빨리 소진되는 잉크. 그러다 어느 순간 문장의 마침표를 찍기도 전에 갑작스레 잉크가 뚝 끊긴다. 이 모든 과정을 첫 만남, 열애, 권태, 이별이라 칭한다.

-

박정대 시인의 시집 제목이 생각나는 낮이다. 바로 '삶이라는 직업.' 삶이라는 직업이 있다면 난 직업 정신이 투철한 인간일까. 직급은 얼마쯤 되려나. 아마 미생 신입 사원일지도 모른다. 세상 앞에 아직 쩔쩔매며 삶을 영위하는 내가 삶을 만드는 것이 아니라 주어진 삶에 의미를 부여하는 그런 인간일지도 모른다.

—

나의 사랑은 언제나 맨 사랑이었다. 첫사랑도 끝사랑도 아닌 맨 사랑. 아무것도 안 입은 걸 뜻할 때 '맨'을 쓰지 않나. 똑같은 것이다. 작은 추위에도 몸서리치고 말 한 마디에도 눈물을 뚝뚝 흘리는, 그러나 언제나 나의 사랑을 한 꺼풀씩 두 꺼풀씩 벗겨 바치는 그런 사랑. 누군간 아가페적인 사랑이라 할 수 있지만 나의 맨 사랑은 항상 외로움만 가득했다.

\-

나는 왜 아직도 네 그림자에서 나오질 못해. 왜 그늘에
서만 살아 속상해 죽겠어. 너는 나와 왜 나란히 걸어 주
질 않는 거야. 왜 항상 등을 보여.

나 말이야,

가끔 내가 너무 애처로워. 너는 안 그래? 삶의 밑바닥까지 내려와서 발을 딛은 것 같을 때면 내가 너무 애처롭고 가련해서 다시 올라갈 수 있도록 들어 올리고 싶어. 꼭 누구의 힘을 바라는 게 아니야. 누가 날 들어 올려 주지 않아도 돼. 그냥, 그냥 나 혼자 올라가고 싶어. 그래야 떨어지더라도 이렇게 심하게 마음을 삐진 않을 것 같아. 밑바닥에 철썩 붙어서 이리저리 다 늘어진 마음을 보고 있을 때면 아... 나 또 이렇게 현실을 한 방으로 맞아버렸구나 싶어서 온 몸이 아파.

...있잖아. 누가 그러더라. 이럴 때일 수록 현실을 바라보고 직시하고, 담담히 혼자 이겨내야 한다고. 그래서 내가 그랬어. 모두 혼자 살아가는 인생이라 하지만, 우리는 다같이 서로 어깨도 부딪히고 때론 손을 맞잡고 그러면서 살아가지 않냐고 말이야. 내 생각엔 인생은 혼자 살아가는 게 아니야. 여러 사람들이 안아주고 애정을 부

어 주면 그때 되어서 나 혼자 다시 올라갈 힘이 생기는 거지. 곁에 있어 주기만 해도 돼. 나 혼자가 아니라는 걸 알게 되면 난 그때부터 다시 날아 오를 수 있는 힘이 생기는 거야. 그러니까 내 말은... 삶은 혼자 사는 게 아니야. 우린 자신을 애처롭게 생각하면서 사랑해 주고 경애해야 돼. 아, 이렇게 말하니까 속이 다 시원하다.

이제 네 이야기 좀 해 봐.

너는 요즘, 괜찮아?

무제의 문장들 2。

이른 겨울, 창문 밖으로 보잘것없는 나무의 앙상함으로 눈요기를 했다. 바라보기만 해도 채워지긴 커녕 마음 한쪽이 비어나가는 것 같은 공허함. 떨어질 잎도 없는 겨울나무를 구경하다 나무 앞에 서 멀뚱히 바라보는 소년을 발견했다. 새카만 머리카락들이 날 선 바람에 흩날리는 걸 보며 아름답다고 생각하던 찰나에 소년이 뒤를 돌아 날 바라보았다. 마른 입안을 급하게 축였다. 우린 왠지 오래 얘기를 나눌 것만 같았다. 그때, 그의 머리카락이 분홍빛으로 물들었다. 그제서야 깨달았다.

불시착하던 내 마음이 이젠 행선지를 찾았구나.
너구나.

뭐든지 자리를 지키는 것을
함부로 꺾어선 안 된다.

봄날, 눈두덩이에 내려앉는 햇살의 무게는 0.5그램.
뜨뜻하게 열이 오른 몸으로 거닐 때면 눈 부신 햇살의
무게가 두 눈을 감긴다. 나른히 감기는 두 눈. 순간마다
0.5그램의 여유가 젖은 머리에서 풍기는 라벤더 샴푸
향기를 머금고 녹음을 펼쳐 보인다.

-

꽃은 함부로 꺾는 것이 아니라고 누군가 말했다.
삶을 영위하다 보면 꼭 그 자리에 있어서 사랑스러운 것
들이 있는 것 같다.

-

어렸을 땐 언덕을 조심하라는 표지판을 보고 무덤을 조
심하라는 줄 알았다. 지금 이생 말고 저세상을 살고 있
는 이들이 장난을 칠 수 있으니 그 길을 지날 땐 주의하
라는 표시인 줄 알았던 그때.

관제탑, 죽은 신호를 보냅니다.

그리움이 파도가 되어버릴 땐 난 그저 쓰나미를 불러일으킨 세이렌의 대지를 향한 발 딛음처럼 모든 걸 다 내려놓은 채로 육지로 걸어 올라가는 상상을 한다. 그럴 때면 난 몽상가로 변하여 멋대로 비행하기 시작한다.

보고 싶다고 그립다고 당신이 있는 곳으로 가고 싶다고 주소 모를 관제탑에 신호를 보낸다. 마치 바다 고래의 울음소리처럼, 배를 타고 모험을 떠났던 고대 낯선 이의 고동 소리처럼 심장에선 일종의 사형 선고가 내려진다. 더 이상은 만날 수 없는 걸 알면서도 이름을 붙잡고 한참을 늘어진다. 그럴 땐 비상착륙도 하지 못한다. 나는 이미 끝을 맞이했다는 걸 안다. 알면서도 계속 죽은 신호를 보낸다. 관제탑에선 신호를 알아차리곤 잊어 달라며 알 수 없는 언어로 말을 건네온다. 나만이 알아들을 수 있는 과거 우리 둘만의 언어. 그리고, 그대로 바다로 추락하는 비행기.

이 밤이 외로울 땐 문장도 짧게.

그는 흡연을 하지 않으면서 항상 라이터를 쥐고 다녔다. 듣기론 불소리를 듣기 위함이라고 했다. 남들은 바다에 가서 파도 소리, 물소리를 듣는데 그는 작은 라이터에 기름을 채워 불소리와 바람 소리를 듣고 있었다.

-

계절에 대한 기쁨마저 부의 소유라고 생각하면 그것은 너무나 가혹한 일이 아닌가. 한여름의 장맛비를 집에서 들여다보며 내리치는 천둥번개를 낭만으로 생각하는 이들과 무서운 빗방울로 내 집을 옮겨야 할 지경에 다다른 사람들과의 간극은 이 사회에서 얼마나 클까.

-

청춘, 사랑, 그런 것들 다 아날로그에서 비롯되는 거야. 손에 익히 만져지는 것들에선 애정이 묻어나오고 사랑이 샘솟지.

\-

이제 자라기 시작한 벼는 마치 막 자라기 시작한 아이의
까끌까끌한 머리카락과도 같다.
손바닥으로 쓸어 보면 부스스하게 날릴 것 같은.

\-

이별은 어떤 언어로도 설명하지 않아도 된다. 그저 그
때의 공기 흐름과 냄새 그리고 눈빛만으로도 우린 알아
차린다. 그래서 가혹하다는 것이다. 말을 해야 알아차
리는 것이 아니라 본능적으로 알 수 있으니까. 이게 끝
이구나 - 하고.

\-

외로움에 살갗을 베이는 것 같을 때가 있다. 외로움으로 고독사할 것만 같은, 사람을 만나도 마음이 외로워서 손등으로 입을 틀어막아 볼 때. 입술이 눈물의 소리를 흘리는 게 싫어서 눈물을 방울지어서 삼켜낼 때, 당장의 슬픔은 소화시킬 수 있지만 외로움은 그 배로 커져서 다음을 기회로 다시 돌아온다.

\-

모질게 당했다 해도 그 애를 사랑했던 내 마음을 사랑이 아니었다고 부정할 수 없다. 그건 과거의 나를 부정하는 짓이니까.

그래서 하필 오늘
비는 왜 오는 건데?

혼잣말 좀 해 볼까. 연애를 하면 사랑에 대한 어떤 낯부끄러운 글은 조심스러워진다. 본능적이고 미숙한, 아직은 이성보다 영혼 쪽에 가까운 감정은 좀처럼 어루어 만지고 달래어 이성의 항아리에 담기 어렵다. 날 것을 좋아하는 나라지만 너무 모든 걸 보여 주는 듯한 느낌은 왠지 모르게 부끄럽기까지 하다. 너무 과장을 보탠 걸까. 하지만 진심이다. 가끔은 담담한 척 연기를 하다 보니 정말 담담한 건지 아닌지 헷갈릴 때도 있다. 바보 같은 고민이지 참.

-

비가 오는 날엔 우린 우산 한 개만을 가지고도 별을 그릴 수 있다. 투명 우산을 펼쳐 보이면 그건 곧 맑은 하늘이 된다. 펼쳤을 때가 밤이면 밤하늘, 낮이면 백지장 하늘이 된다. 거기에 빗방울이 떨어지면 곧 난생처음 보는 크리스탈 별들이 박힌다. 투둑투둑, 누가 하늘에 별들을 십자수 하듯 바느질한다. 손가락으로 별과 별 사이를 이어 보면 금방 북두칠성이 만들어지다 곧 사라진다. 그리곤 언제 그랬냐는 듯 다시 덧그려지는 별들. 종일 우산 위론 크리스탈 별들이 투둑 투둑, 바느질해 놓인다.

-

무심코 던져본 돌덩이. 부서진 틈 사이로 옥빛이 내비쳐지고, 난 내 친구에게 쥐어 준다. 그걸 가지고 되도록 멀리 사막을 걸어 보라고. 함께라 말하는 친구. 우린 손을 맞잡고 미친 듯이 뛰었다. 사실 뭔가에 걸려 넘어졌던 건 동물의 뼈 때문이 아니라 모래에 파묻힌 오래된 배의 돛 때문일지도 모른다. 그만큼 세월은 야속하고 문명은 소용돌이와 같지만 수백 아니 수천 년 전의 큰 바다였을 이곳을 상상해 보며 더 힘차게 사막을 유영해 본다. 내 굳은 발바닥으로. 날개는 없지만 꿈틀대는 발바닥이 있고 돛을 들어 올릴 힘은 없어도 날 잡아 줄 친구가 있다.

–

속이 맑게 보이는 유리잔은 푹푹 찌는 더위를 가진 여름
마다 살얼음을 품고 사는데 살얼음만 넣었다 하면 누가
그랬냐는 듯 유리잔 피부 겉면으로 뿌옇게 눈물을 그렁
그렁 맺히다 뚝뚝 흘려낸다. 뭐가 그리 서글플까. 이 뜨
거운 여름에 한 서릴 일이 뭐가 있어서.

–

마음은 둘이 아니라 하나인데 자꾸만 애정과 증오 그리
고 사랑과 원망으로 나뉘는 것이 너무나 서글프고 하
찮고 지친다. 무엇이든 속 시원히 끝을 내야 할 것 같
은데 그것마저 낭비가 될까 봐 나는 관계에서 효율성
을 따진다.

속이 아플 땐 죽을 먹고
마음이 아플 땐 시간을 먹는다.

공복은 아무것도 먹지 않은 상태를 뜻한다. 난 종종 새벽녘만 되면 공복감을 느낀다. 속 안이 공복감으로 가득 차 있는 느낌. 공복 자체가 무엇인가 남지 않은 것을 뜻하는데 그것이 가득 찬 기분이라니 괴이하다고 생각할 수 있다. 하지만 사실이 그렇다. 그래서 난 이것을 외로움이라고 부른다.

-

작은 민들레 홀씨만 남았다.
타인의 숨결이 민들레를 흔들고,
내 안엔 홀씨 하나만 겨우 생명줄을 잡고 늘어진다.
뿌리를 내리고 꽃을 틔우기엔 땅이 그 기반이 되어
주지 못한다. 너무나 메마르고 딱딱한 땅.
나는 이 하찮고 작은 씨 하나를 가지고
무엇을 꽃 피울 수 있겠는가.
금방이라도 날아가 버릴 씨앗 하나로
무슨 변화를 줄 수 있을까.

고민하는 사이 고개를 내려보면 홀씨는 사라졌다.

대지에서 태어난 인간치고 생명 거두는 일에 너무나 서툴다. 그래서 매일을 운다.

사실 그 눈물이 메마른 자신의 땅을 대지로 만들어 준다는 것은 모른 채로 축축해질 때까지 아픔을 울어낸다. 한참을 울고 나서야 그 자리에 잡초라도 자란 것을 볼 수 있다.

-

속이 아플 땐 죽을 먹고 마음이 아플 땐 시간을 먹는다. 나아질 때까지 내내 시간만 삼켜낸다. 그럼 시간은 비게 되고 마음은 찬다. 오늘도 나에게 말한다. 슬퍼해도 된다. 시간은 무한리필처럼 내 그릇에 담겨 있다. 시간이 해결해 줄 것이니 시간을 삼켜내며 넘기자.

\-

문득 책상에 엎드려 이런 생각을 했다. 사랑에도 기준이 있을까? 이건 사랑이고 저건 사랑이 아니고. 그건 누가 정하지? 사회가 정한다면 그 윤리는 어디서 비롯된 걸까? 남에게 해를 끼치지 않는 사랑이라면 그것도 사랑으로 인정해 줘야 하지 않나? 근데? 그걸 왜 내가 인정하냐, 마냐 하고 있지?

\-

동네 길거리에서 이제는 연락을 안 하게 된 친구를 만났다. 인사를 할까 손을 반쯤 들었을 때, 그 친구는 어색하게 웃음만 샐쭉 짓고 지나갔다. 이럴 때면 참 내 손에 또 다른 생명이 달려 있는 것처럼 나 또한 인사하려고 한 적이 없는 듯 그대로 든 손을 머리를 긁적이는 데 사용한다. 이럴 때면 무안함을 뛰어넘어 추억이란 게 얼마나 찰나의 순간 같은지 깨닫는다.

정애의 문장들.

2021년 11월 27일 초판 1쇄 발행
2021년 11월 27일 초판 1쇄 인쇄

지은이　　　|　　한완정

책임편집　　|　　송세아
편집　　　　|　　이혜리, 안소라
표지그림　　|　　박인주 @firecrackercity
인쇄　　　　|　　아레스트

펴낸이　　　|　　이장우
펴낸곳　　　|　　꿈공장 플러스
출판등록　　|　　제 406-2017-000160호
주소　　　　|　　서울시 성북구 보국문로 16가길 43-20 꿈공장1층
전화　　　　|　　010-4679-2734
팩스　　　　|　　031-624-4527
이메일　　　|　　ceo@dreambooks.kr
홈페이지　　|　　www.dreambooks.kr
인스타그램　|　　@dreambooks.ceo

ISBN　|　979-11-89129-98-9

정 가　|　12,500원